GW00579490

TIM MÄLZER

HEIMAT

mosaik

12. Auflage

Autor: TIM MÄLZER
Assistenz Tim Mälzer: FRANK MEYER
Projektleitung: MARCEL STUT
Texte: STEVAN PAUL (www.stevanpaul.de)
Weintext: Hendrik Thoma
Rezepttexte: STEVAN PAUL, MARCEL STUT, MARION HEIDEGGER
Redaktion: RUTH WIEBUSCH, CORNELIA HANKE
Foodstyling: TIM MÄLZER, MARCEL STUT, STEVAN PAUL, MARION HEIDEGGER
Fotos: MATTHIAS HAUPT (www.matthiashaupt.de)
Fotoassistenz: CHRISSI VELTEN (www.chrissivelten.de)
Fotos Seite 1, 46, 86, 112, 163, 291: CHRISSI VELTEN
Fotos Seite 8 u. links, 72, 104, 162, 193, 194, 224, 249,
254, 265 o. rechts, 286: FRANK MEYER (www.jumpallintheair.com)
Requisite: KATRIN HEINATZ (www.katrinheinatz.de)
Umschlaggestaltung: weissraum.de(sign)°, LUCAS BUCHHOLZ, BERND BRINK
Kreativ Direktion: www.ANJALAUKEMPER.de
Art Direktion: ANJA LAUKEMPER
Illustration & Malerei: RINAH LANG (www.signorinah.de)
Künstler: »Heilig's Blechle« 2014, Stefan Strumbel
Herstellung: INA HOCHBACH
Reproduktion: LORENZ & ZELLER, Inning am Ammersee
Druck und Bindung: MOHN MEDIA GMBH, Gütersloh
Printed in Germany
ISBN 978-3-442-39274-2
WWW.TIM-MAELZER.DE
WWW.MOSAIK-VERLAG.DE

Penguin Random House Verlagsgruppe FSC® N001967

Dieses Buch ist auch als E-Book erhältlich.

TIM MÄLZER

Heimat

mosaik

PAP*STAR
Latex
100
M

INHALT

SO SCHMECKT HEIMAT HEUTE!

Hier bin ich geboren, hier komme ich her: Pinneberg in Schleswig-Holstein, Metropolregion Hamburg, Deutschland. Das ist meine Heimat.
Als Koch bin ich in den Küchen der Welt zu Hause, denn Kochen ist immer auch lernen und entdecken, neue Produkte, alte Rezepte, frische Ideen – das mag ich ganz besonders an meinem Beruf, und der Blick in die Töpfe der nahen und fernen Länder gehört dazu.
In den vergangenen Monaten habe ich mich auf eine ganz besondere kulinarische Entdeckungsreise gemacht und habe eine Küchenvielfalt vorgefunden, mit einer Fülle bester Produkte von höchster Qualität. Eine Küche, in der gewachsene Tradition, Handwerk und Innovation zusammenkommen. Ich habe seltene Käse gekostet, eine neue Brotkultur entdeckt, bin mit Fischern aufs Meer gefahren und habe zum ersten Mal in meinem Leben Schweine in freier Wildbahn vor Glück rennen sehen und weiß jetzt, woher das Wort »Schweinsgalopp« kommt. Ich habe Rezepte gesammelt und entwickelt, habe mich mit Produzenten, Landwirten und Handwerkern der ersten und der nächsten Generation unterhalten, ich war unterwegs in einem kulinarisch reichen Land. Und nein … ich spreche nicht von Italien. **Ich habe Deutschland bereist.**

Deutschland lebt in der Außenwahrnehmung von seinen Klischees: Kuckucksuhr und Pünktlichkeit, Präzision und Blasmusik. Nicht alles ist ganz richtig und vieles gar nicht mal so falsch. Einige Vorurteile pflegen wir in Deutschland mitunter sogar selbst, ganz besonders wenn es um unsere Küche geht. Doch die kann viel mehr als Schweinsbraten (den machen wir aber wirklich in Perfektion), Knödel und Sauerkraut.

JEDES EINZELNE BUNDESLAND IST ZU RECHT STOLZ AUF SEINE KÜCHENTRADITION.

Wir haben in Deutschland eine sehr produktbezogene Küche, ohne überflüssiges Brimborium – ein sehr moderner Ansatz. Und jedes einzelne Bundesland ist zu Recht stolz auf seine regional geprägte Küchentradition. Und die entsteht, neben geographischen und historischen Gegebenheiten, überwiegend aus einer Vielfalt von Produkten, die dem flüchtigen Blick entgehen mag. Deutschland ist ein kulinarisches Schlaraffenland und muss sich nicht verstecken hinter italienischer Vielfalt oder französischer Kochkunst. Es lohnt sich genauer hinzusehen, und das habe ich mit diesem Buch getan.

Es ist mein ganz persönlicher Blick auf Deutschland und Deutschlands Küche zwischen Tradition und Gegenwart. **Die Reise beginnt** im Süden, dort liegt der Bodensee, gerahmt von Alpenriesen, im Dreiländereck mit seinen Nachbarn Österreich und der Schweiz. Im klaren Wasser des Sees sind so seltene Fische wie Egli und Felchen zu Hause. Die Rankgestelle der Hopfenbauern entlang der Straßen und Wege erinnern daran, dass Deutschland ein Bierland ist (siehe S. 227), mit den Bierhauptstädten München, Bamberg und Kulmbach.

DIE WIEGE DER BRATWURST- UND BROTKULTUR STEHT IM SÜDEN.

Dem Brauereisterben der letzten Jahre entkommen und dem Deutschen Reinheitsgebot von 1516 entwachsen, entstehen jetzt überall im Land neue innovative Brauereien, die mit Leidenschaft und Begeisterung eine neue Generation handwerklicher Biere brauen.

Hier unten, in Schwaben, im Badischen, in Bayern und Baden-Württemberg liegt generell eines der ganz großen kulinarischen Paradiese des Landes: Hier gibt es blühende Obstgärten, das Schwäbisch-Hällische Landschwein, Rinder- und Milchwirtschaft, im nahen Allgäu werden Berg- und Backsteinkäse hergestellt - Deutschland, ein Käseland (siehe S. 58). Getreidefelder ziehen sich bis zum Horizont, es gibt bestes Wild, Süßwasserfische und Spargel, die Wiege der Bratwurst- und Brotkultur steht im Süden.

Weiter geht es ins Saarland, nach Rheinland-Pfalz und Hessen. Endlose Rebenhänge, einige der besten Weißweine der Welt wachsen hier an den Ufern von Mosel, Saar und Rhein (insgesamt 13 Weinanbaugebiete gibt es in Deutschland, siehe S. 276). Die Winzerküche bedient sich aus dem regionalen Reichtum.

In Thüringen, Sachsen und Sachsen-Anhalt werden nicht nur die berühmten Klöße gerollt, hier kommen unter anderem das Leinöl her, der hocharomatische Majoran für die Thüringer Bratwurst und der Christstollen (siehe S. 279), das berühmteste Weihnachtsgebäck der Deutschen.
Brandenburgs Auenwälder sind ein Pilzparadies, hier wachsen die seltenen Morcheln, in den Flüssen leben Hechte, Zander und Barben. Aus dem Spreewald kommen Gurken und Teltower Rübchen, in Berlin wird Eisbein aufgetischt und Soleier (siehe S. 229) und Currywurst, die ganz eventuell dort auch erfunden wurde.

DIE SCHÖNSTE REZEPTSAMMLUNG NÜTZT NICHTS, WENN DIE TRADITION NICHT GEPFLEGT WIRD.

Auf der anderen Seite der Republik liegen Nordrhein-Westfalen und Niedersachsen, Schinken und Pumpernickel, fruchtbare Äcker und viel Landwirtschaft. Hier wird Kölsch und Altbier getrunken, hier steht die Wiege der stärkenden Bergmannsküche zwischen Himmel und Erde, hier ist der Grünkohl (siehe S. 122) zu Hause und die Heidschnucke. Und beim Metzger gibt es seltene würzige Würste mit schönen Namen wie Pinkel, Grützwurst und Knip.
Ganz im Norden angekommen, in Hamburg, Schleswig-Holstein und Mecklenburg-Vorpommern, laufen Gänse durchs Gras, es gibt an der Küste reichlich Krabben aufs Brötchen und Aal (siehe S. 113) und Hering (siehe S. 110) und Stint. Steckrüben, Kürbisse, Äpfel und Birnen wachsen im Alten Land und landen in duftenden Eintöpfen, einmal quer durch üppige Gärten. Bester Ziegenkäse wird im Norden gemacht, von hier stammen prächtige Galloway-Rinder und blökende Deichlämmer. Und auf der Insel Sylt werden frische Austern geknackt und geschlürft – aus dem Meer auf die Hand (siehe S. 109).
Entsprechend umfangreich und vielfältig wäre ein Kochbuch der deutschen Regionalküche. Doch die schönste Rezeptsammlung nützt nichts, wenn die Tradition nicht gepflegt wird, wenn das Wissen ums Handwerk nicht weitergegeben und von der nächsten Generation neu gedacht wird. Und das ist, neben all dem kulinarischen Produktreichtum, die wohl schönste Nachricht

aus deutschen Landen: Eine wachsende Zahl von Ökologen und Landwirten, Metzgern, Käsern und Bäckern, jungen Winzern und Brauern arbeitet mit Leidenschaft und Enthusiasmus an Erhalt und Wachstum dieser Vielfalt. Mit den Lehren von gestern und dem Wissen von heute setzt diese neue Generation von Produzenten ein Zeichen gegen die Industrialisierung unseres Essens und zeigt Alternativen auf.

GESTIEGEN IST DIE SEHNSUCHT NACH EHRLICHEN PRODUKTEN, GESUNDEM ESSEN, REGIONALER VIELFALT.

Es sind Pioniere wie Karl Ludwig Schweisfurth, der in seinem ersten Leben als Chef einer gigantischen Fleischfabrik lernte, wie es nicht geht, und sich heute in den Herrmannsdorfer Landwerkstätten bei München dem Studium und der Umsetzung seiner Idee der symbiotischen Landwirtschaft verschrieben hat, bei der Pflanzen, Tiere und Menschen sich gegenseitig nutzen – in ökologisch ausbalancierter, gesunder Natur. Hier rennen Schweine über saftige Mischwiesen um die Wette, alte Hühnerrassen picken Körner im Hof und auf den Feldern. Ein Paradies, ein Einzelfall möchte man denken, doch Schweisfurth spricht vom Leuchtturm-Prinzip, berät andere Höfe und Agrarprojekte, gibt seine Erkenntnisse und den Stab auch weiter.
Es sind auch Menschen wie Oliver Firla, der in seinem Gasthof Odins Haddeby an der Schlei auch eine Backstube betreibt. Hier bäckt Christian Timm Brote wie vor 100 Jahren in Handarbeit. Wasser, Hefe, Mehl und Leidenschaft sind die Zutaten für seine Brote und Brötchen, die so rein gar nichts mit den industriellen Backwaren zu tun haben.
Das ist kein Einzelfall, das Interesse an gut gemachtem Brot ist gestiegen, die Sehnsucht nach ehrlichen Produkten, gesundem Essen, regionaler Vielfalt. Und diese Vielfalt findet sich im eigenen Land. Egal ob Käse- und Wurstspezialitäten, alte Gemüsesorten, seltene Kräuter, wilde Pilze oder Süßwasserfische – wer die Augen aufhält, findet schnell die kleineren, die oftmals leiseren Produzenten, entdeckt Verkaufsstellen und Märkte, besucht vielleicht auch mal das alternative Gartenprojekt, den Biohof, die Manufaktur um die Ecke.

Ich habe mich für dieses Buch, aber auch schon während der Dreharbeiten zu meinen Dokumentationen im Land umgesehen, und ein wichtiger Aspekt meiner Deutschlandreisen war immer: reden. Mit den Produzenten, Machern und Neudenkern meiner kulinarischen Heimat. Ich habe viel gefragt, viel erfahren, gelernt, Zusammenhänge besser verstanden und genau erklärt bekommen – nicht weil ich der Fernsehkoch auf Besuch war, sondern weil sich diese Menschen ganz allgemein über das Interesse an ihrer Arbeit freuen und gerne Fragen beantworten, transparent sind und jedem Besucher gerne Auskunft geben, auch weil sie zu Recht stolz sind, auf ihre Produkte, Zutaten und Lebensmittel. Regionalität und Nachhaltigkeit sind keine ausgelutschten Schlagwörter der Medien, dahinter stecken Ideen für die Zukunft und Menschen, die etwas ändern, es besser machen wollen – überall in Deutschland.

DAS AUF DER ZUNGE MUSS FÜR MICH IMMER AUCH DAS HERZ BERÜHREN.

Schauen Sie sich mal selber um. Denn das mit dem Pessimismus, der Nörgelei und Schwarzseherei der Deutschen ist doch auch nur so ein Klischee.

Heimat, habe ich gelernt, ist Nähe – und Neuland. Es macht Spaß selbst loszugehen und sich die Heimat neu zu erschmecken. Auch das ist mein Buch: eine Einladung an alle, auch einfach mal um die nächste Ecke zu schauen. Überall finden sich handwerklich arbeitende Produzenten und eine erstaunliche Produktvielfalt, die es zu unterstützen gilt.

Mit vielen Inspirationen und neuen Ideen im Reisegepäck haben wir uns im Team an die Arbeit zu diesem

Buch gemacht: Wir haben alte Gerichte umsichtig modernisiert und ein paar Klassiker gründlich entstaubt – natürlich ohne sie ihrer Wurzeln zu berauben. Und ich war auch so frei, ein paar neue deutsche Gerichte zu kreieren, ganz entspannt, nach Bauchgefühl.

Das auf der Zunge muss für mich immer auch das Herz berühren, und das gelingt natürlich gerade mit der Küche der Heimat, der Küche der Kindheit.

DIES HIER IST MEIN GANZ PERSÖNLICHER BLICK AUF DEUTSCHLAND UND DIE DEUTSCHE KÜCHE.

Zurück in Hamburg habe ich nochmal gestaunt, beim Sichten der Fotos, beim Sortieren der Rezepte und Notizen, gestaunt über die kulinarische Vielfalt, über die vielen Erlebnisse und Eindrücke, über die alten und neuen Geschmäcker aus deutschen Landen.

All das ist in diesem Buch versammelt: meine Lieblingsrezepte, aber auch die Begegnungen, die Gespräche, Land und Leute, Bilder von unterwegs, Bilder von mittendrin. Ein Anspruch auf Vollständigkeit besteht nicht und ist auch unmöglich. Dies hier ist mein ganz persönlicher Blick auf Deutschland und die deutsche Küche. Ein Buch, das Sie inspirieren soll, selbst loszulegen, loszugehen und selbst zu entdecken, wie Deutschland schmeckt – die Vielfalt beginnt gleich an der nächsten Ecke.

Ich wünsche Ihnen und euch guten Appetit mit meinem Heimatkochbuch.

Tim Mälzer

SUPPEN

ERBSENSUPPE

Zutaten
(für 4–6 Personen)
200 g Sellerie
200 g Möhren
200 g geräucherter Speck
40 g Butter
2 l Gemüsebrühe
750 g getrocknete grüne Schälerbsen (kein Einweichen nötig)
1 kleine Stange Lauch
4–6 Zweige Bohnenkraut (wahlweise 1 TL getrocknetes Bohnenkraut)
Salz
schwarzer Pfeffer aus der Mühle
4–6 Paar Frankfurter Würstchen (1 Paar pro Person)

1. Sellerie und Möhren schälen, grob stückeln und in der Küchenmaschine mit der Intervallfunktion feinstückig hacken. Speck fein würfeln. Butter in einem Topf erhitzen und die Speckwürfel darin glasig dünsten. Das Gemüse zugeben und 1 Minute dünsten. Mit Brühe auffüllen und Schälerbsen unterrühren. Bei mittlerer Hitze 60 Minuten leise köcheln.
2. Lauch längs halbieren, waschen und fein schneiden. Bohnenkraut hacken und mit dem Lauch zur Suppe geben. Weitere 5 Minuten kochen. Die Suppe mit Salz und Pfeffer würzen. Würstchen in Stücke schneiden und zur Suppe geben. Zugedeckt 10 Minuten ziehen lassen. Auf vorgewärmten Tellern servieren.

Zubereitungszeit: 1 Stunde 20 Minuten (davon 1 Stunde Garzeit)

Schmeckt sehr gut auch mit in Butter und Knoblauch gebratenen Brotwürfeln oder mit Röstzwiebeln bestreut. Der Eintopf dickt, insbesondere beim Abkühlen, stark nach – er kann dann ganz einfach mit etwas Brühe wieder schlank gerührt werden.

STECKRÜBENEINTOPF

Zutaten (für 4–6 Personen)
1 Steckrübe (ca. 1 kg)
500 g dicke Möhren
2 große Gemüsezwiebeln (oder 4 normale Zwiebeln)
700 g vorwiegend festkochende Kartoffeln
2 EL Gänseschmalz (wahlweise Schweine- oder Butterschmalz)
150 g Speckwürfel
1 Lorbeerblatt
Salz
schwarzer Pfeffer aus der Mühle
Zucker
1,5 l Geflügelbrühe
Essig (optional)

1. **Steckrübe und Möhren schälen und würfeln, Zwiebeln pellen und würfeln. Kartoffeln schälen und ebenfalls würfeln. Gänseschmalz in einem Bräter erhitzen, die Speckwürfel darin glasig dünsten.**
2. **Gemüse und Lorbeerblatt zugeben, mit Salz, Pfeffer und einer Prise Zucker würzen und glasig dünsten. Mit Geflügelbrühe und 1 l Wasser auffüllen und offen 80 Minuten leise köcheln. Vor dem Servieren nochmals mit Salz, Pfeffer, Zucker und auf Wunsch mit etwas Essig abschmecken.**

Zubereitungszeit: 20 Minuten (plus 80 Minuten Garzeit)

Steckrübeneintopf am besten immer in rauen Mengen kochen, der löffelt sich wirklich sehr gut weg und schmeckt mit jedem Aufwärmen immer besser! Der Eintopf lässt sich auch prima einfrieren, als stille Reserve für kalte Tage.

HEIMAT.

D

TOPINAMBURSUPPE

Zutaten (für 4–6 Personen)
1 kg Topinambur
150 g weiße Zwiebeln
1 Knoblauchzehe
Öl
1 kleines Bund Thymian (oder Zitronenthymian)
150 ml trockener Weißwein (z. B. ein Grauburgunder oder Riesling)
200 g Schlagsahne
Salz

1. 750 g Topinambur mit einem Sparschäler schälen und würfeln. Zwiebeln und Knoblauch pellen und ebenfalls würfeln. Alles in einem Topf in 4 EL Öl glasig dünsten. 4 Zweige Thymian fein hacken und zugeben. Mit Weißwein ablöschen und auf die Hälfte einkochen lassen. Dann 1 l Wasser und die Sahne zufügen, mit Salz würzen und offen 30 Minuten einkochen.
2. Die restlichen Topinambur-Knollen schälen und in sehr feine Scheiben hobeln. Mit einem Küchentuch trocken reiben.
3. 3 Fingerbreit Öl in einen kleinen Topf gießen und erhitzen. Die Topinambur-Chips portionsweise im heißen Öl goldbraun frittieren, mit einer Schaumkelle herausnehmen, salzen und auf Küchenpapier abtropfen lassen. Die übrigen Thymianzweige ebenfalls kurz frittieren.
4. Die Suppe mit dem Pürierstab feinschaumig pürieren und in vorgewärmten tiefen Tellern anrichten. Mit Topinambur-Chips bestreut und mit Thymian garniert servieren.

Zubereitungszeit: 45 Minuten

Beim Knollengemüse Topinambur handelt es sich um die süßlich-nussig schmeckenden Wurzeln einer Sonnenblumenart. Roh erinnern die Wurzeln geschmacklich an Artischocken, daher auch der ebenfalls gebräuchliche Handelsname »Jerusalemartischocken«.

SPARGELSUPPE

Zutaten (für 4 Personen)
500 g Spargel
30 g Mehl (Type 405)
60 g weiche Butter
125 g Schlagsahne
150 g Shrimps
Salz
Cayennepfeffer
Muskatnuss
1–2 EL Zitronensaft
einige Kerbelzweige

1. Den Spargel schälen. Die Enden knapp abschneiden und mit den Spargelschalen in einen Topf geben. Mit 1 l Wasser bedecken, aufkochen lassen und 1 Minute kochen. Vom Herd nehmen und 10 Minuten ziehen lassen. Dann die Schalen und Spargelenden mit einer Schaumkelle herausschöpfen.
2. Den Spargel in 3 bis 4 cm lange Stücke schneiden. Spargelsud nochmals aufkochen und die Spargelstücke darin 5 Minuten garen. Herausnehmen und unter kaltem Wasser abkühlen, abtropfen lassen und beiseitestellen.
3. Den Spargelsud wieder aufkochen. Mehl mit 30 g weicher Butter glatt rühren und mit einem Schneebesen in den Spargelsud einrühren. Aufkochen und 3 Minuten kochen lassen. Schlagsahne zugießen und 3 bis 5 Minuten dicklich einkochen.
4. Übrige Butter in einer großen Pfanne schmelzen, die Spargelstücke darin bei milder Hitze 3 Minuten schwenken. Shrimps zugeben und weitere 2 Minuten schwenken, mit Salz würzen.
5. Die Suppe mit Salz, Cayennepfeffer, einer winzigen Prise frisch geriebener Muskatnuss und Zitronensaft abschmecken. Mit dem Pürierstab schaumig aufpürieren und mit Spargelstücken und Shrimps in vorgewärmten Tellern anrichten. Mit Kerbelblättchen bestreut servieren.

Zubereitungszeit: 45 Minuten

»BEI MIR IST DIE SUPPE DAS BESTE AUS EINEM GANZEN BUND SPARGEL. AUS SCHALEN UND ABSCHNITTEN UND DEM SPARGEL SELBST KOCHE ICH EINEN SUD, DER MIT BUTTER UND SAHNE ZUR SUPPE VERFEINERT WIRD – UND DER GEKOCHTE SPARGEL KOMMT AUCH KOMPLETT WIEDER REIN!«

HÜHNERBRÜHE

Zutaten (für ca. 2 Liter)
1 frisches Freilandhuhn (mit Innereien)
2 Bund Suppengrün
4 Zwiebeln
4 Stangen Staudensellerie
2 Tomaten
3 Lorbeerblätter
5 Nelken
1 TL schwarze Pfefferkörner
1 TL Wacholderbeeren
1 gestrichener EL grobes Salz
1 EL Zucker

1 Das Huhn unter kaltem Wasser gründlich waschen. Die Innereien aus dem Beutel nehmen und kalt abspülen.
2 Suppengrün waschen und putzen. Den Lauch längs halbieren und ins Huhn stecken. Möhren und Sellerie grob würfeln. Die Zwiebeln mit Schale halbieren und in einer beschichteten Pfanne auf den Schnittflächen dunkel anrösten. Staudensellerie grob stückeln, die Tomaten halbieren.
3 Das Huhn mit den Zwiebeln, dem Gemüse, den Innereien, Lorbeerblättern, Nelken, Pfefferkörnern, Wacholderbeeren, Salz und Zucker in einen großen Topf geben und 2 Fingerbreit mit kaltem Wasser bedecken. Langsam aufkochen und bei milder Hitze offen 90 Minuten leise köcheln lassen.
4 Die Brühe abkühlen lassen und wahlweise durch ein feines Sieb oder – für eine besonders klare Brühe – durch ein Sieb mit Tuch passieren. Das Fleisch des gehäuteten Huhns abzupfen und als Suppeneinlage, für Ragouts oder Hühnerfrikassee (siehe S. 41) verwenden.

Zubereitungszeit: 2 Stunden (davon 90 Minuten Kochzeit)

Den Trick mit dem Zucker habe ich mir bei den Chinesen abgeschaut - damit wird aus einer guten Hühnerbrühe eine sehr gute Hühnerbrühe. Die Innereien müssen Sie nicht mitkochen, sie unterstützen aber die Aromenbildung sehr! Die Brühe lässt sich gut in kleinen Portionen einfrieren, so hat man immer welche parat.

SAUERKRAUTSUPPE

Zutaten
(für 4–6 Personen)
200 g Zwiebeln
1 EL Schweineschmalz (wahlweise Butterschmalz)
750 g Sauerkraut
2 EL Honig
1/2 TL Kümmelsaat
1 EL Zucker
1 kleine Dose Tomaten, stückig (425 g EW)
1 l Gemüsebrühe
400 g feine Kalbsbratwurst, roh (Brät)
1/2 Bund Majoran
Salz
Pfeffer
150 g Crème fraîche

1. Zwiebeln pellen und in feine Streifen schneiden. Schmalz in einem großen Topf schmelzen, die Zwiebeln darin farblos andünsten. Das Sauerkraut zugeben, danach Honig, Kümmelsaat, Zucker und Tomaten. Mit Gemüsebrühe auffüllen und offen 1 Stunde kochen.
2. Die rohe Kalbsbratwurst in kleinen kugeligen Portionen direkt aus der Pelle in die kochende Suppe drücken, vorsichtig umrühren und 5 Minuten kochen. Majoran hacken und unterrühren, mit Salz und Pfeffer würzen. Auf vorgewärmte Teller verteilen und mit je einem Klacks Crème fraîche servieren.

Zubereitungszeit: 1 Stunde 15 Minuten

»DIE LIEBLINGSSUPPE MEINER JUGEND. KEINE SCHÖNHEIT, ABER HEUTE NOCH DER HAMMER – PROBIERT MAL!«

Linsen, ob als Begleitung zu Spätzle (siehe S. 61), als Eintopf oder Suppe – immer leicht bis mittelschwer gesäuert –, sind das Nationalgericht der Schwaben. Die ursprünglich in Ägypten und Palästina beheimateten Linsen fanden auf der Schwäbischen Alb ideale Wachstumsbedingungen: In den wasserarmen Höhen und auf den kargen Steinböden war kaum Viehzucht möglich, die genügsamen Linsen gediehen dagegen prächtig. Bis in die Wirtschaftswunderjahre hinein hatte der Linsenanbau eine lange Tradition auf der Schwäbischen Alb. Dann ging der Linsenanbau beständig zurück, die Erträge waren zu niedrig, Ernte und Reinigung sehr aufwendig. Die »Albleisa« (Alblinsen) gerieten in Vergessenheit, einige Sorten galten bis vor wenigen Jahren als verschollen. Es ist einer Gruppe von engagierten Ökobauern, Wissenschaftlern und Slow-Food-Aktivisten zu verdanken, dass die »Albleisa« heute wieder auf der Schwäbischen Alb angebaut werden.

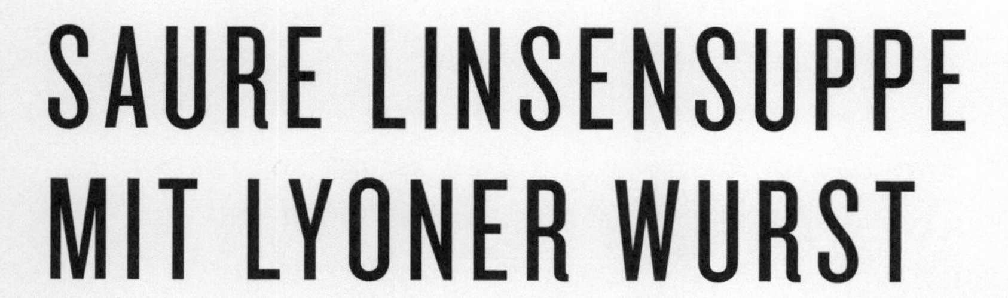

SAURE LINSENSUPPE MIT LYONER WURST

Zutaten (für 4 Personen)

1 Petersilienwurzel
150 g Möhren
100 g durchwachsener Speck
150 g Staudensellerie
1 Stange Lauch
1 Knoblauchzehe
5 EL Rapsöl
300 g kleine Linsen (z.B. Alblinsen »Albleisa«, Champagnerlinsen, »Pantelleria« oder wahlweise Puy-Linsen)
30 g Tomatenmark
1 Lorbeerblatt
2 l Gemüsebrühe
4–6 Zweige Zitronenthymian (wahlweise 1–2 TL getrockneter Thymian)
Salz
schwarzer Pfeffer aus der Mühle
1–4 EL Rotweinessig (ersatzweise Apfel- oder Weißweinessig)
1 Tomate
200 g Lyoner Wurst
2 EL Olivenöl

1 **Petersilienwurzel und Möhren schälen und in feine Würfel schneiden. Speck und Staudensellerie ebenfalls fein würfeln. Lauch halbieren, waschen und fein schneiden. Knoblauch pellen und fein würfeln.**

2 **Alles in einem großen Topf in Rapsöl hell anbraten. Linsen, Tomatenmark und Lorbeerblatt zugeben und unterrühren. 5 Minuten schmoren. Mit Brühe auffüllen und offen 2 Stunden leise köcheln.**

3 **Thymian fein zupfen, hacken und unter die Suppe rühren. Mit Salz, Pfeffer und Essig kräftig abschmecken. Die Suppe mit dem Pürierstab ganz leicht anpürieren.**

4 **Tomate und Lyoner in Scheiben schneiden und in einer beschichteten Pfanne im Olivenöl anbraten. In tiefen, vorgewärmten Tellern mit der Suppe anrichten.**

Zubereitungszeit: 2 Stunden 20 Minuten (davon 2 Stunden Garzeit)

HUMMERSUPPE

Zutaten
(für 4–6 Personen)

Für die Hummersuppe:
2 kg Hummer-Karkassen
1 Döschen Safranfäden (0,1 g)
200 g Zwiebeln
200 g Möhren
40 g Ingwer
3 reife Tomaten
4 EL Rapsöl
1 TL weiße Pfefferkörner
1 TL Kümmelsaat
50 g Tomatenmark
150 ml weißer Portwein
(wahlweise Weißwein
mit 1–2 TL Zucker)
250 g Schlagsahne
20 g Mehl (Type 405)
40 g weiche Butter
Salz
Cayennepfeffer
1–2 EL Cognac

Zum Anrichten:
1–2 Cornichons
100–150 g Krabben
1–2 TL Olivenöl
Salz
Pfeffer
4–6 Scheiben Toastbrot
einige Zweige Dill
einige Zweige Kerbel

1 Die Hummer-Karkassen im heißen Ofen bei 240 Grad 15 Minuten rösten. Safranfäden mit Wasser bedeckt einweichen. Zwiebeln pellen und würfeln, Möhren schälen und würfeln. Ingwer schälen und in Scheiben schneiden, Tomaten würfeln.

2 Ingwer, Zwiebeln und Möhren in einem Topf im Öl glasig dünsten. Mit Pfefferkörnern und Kümmelsaat würzen, das Tomatenmark unterrühren und 1 Minute schmoren. Tomaten zugeben und 1 Minute mitgaren. Mit Portwein ablöschen und aufkochen. 2 l kaltes Wasser und die Safranfäden mit dem Einweichwasser angießen. Die Karkassen zugeben und langsam bei mittlerer Hitze aufkochen. 60 Minuten offen auf rund die Hälfte der Flüssigkeit einkochen.

3 Sahne zugießen und offen weitere 15 Minuten kochen. Mehl mit weicher Butter glatt rühren. Den Hummersuppenansatz durch ein feines Sieb in einen zweiten Topf passieren. Aufkochen und die Mehlbutter mit dem Schneebesen einrühren. 2 Minuten kochen. Die Suppe mit Salz, Cayennepfeffer und Cognac abschmecken.

4 Cornichons fein würfeln und mit den Krabben und dem Olivenöl mischen, mit Salz und Pfeffer würzen. Toastscheiben toasten, mit einem Ringausstecher kleine Rondelle ausstechen oder die Toastscheiben vierteln. Mit Krabben belegen und mit Dill- und Kerbelzweigen dekoriert zur Suppe servieren. Die Suppe vor dem Servieren mit dem Pürierstab aufschäumen.

Zubereitungszeit: 2 Stunden (davon 1 Stunde Garzeit)

Hummer-Karkassen sind Schalen und Köpfe von Hummern, die sollten Sie beim Fischhändler anfragen oder vorbestellen.

MITTAGSTISCH

FLEISCHPFLANZERL IN RAHM

Zutaten (für 4 Personen)
100 g Zwiebeln
1 EL Öl
1/8 l Milch
1 Brötchen
600 g Kalbshack (wahlweise Rinderhack oder gemischtes Hackfleisch)
1 Ei (M)
1–2 TL scharfer Senf
Salz
1 EL Butterschmalz
100 ml Fleischbrühe
150 g Schlagsahne
1 Bund Schnittlauch
Pfeffer

1. Zwiebeln pellen und fein würfeln. In einer Pfanne im heißen Öl glasig dünsten. Milch zugießen, aufkochen und vom Herd ziehen. Brötchen fein würfeln, unterrühren und einweichen, dann mit einer Gabel zu einem feinen Brei zermusen.
2. Den Backofen auf 80 Grad vorheizen.
3. Hackfleisch mit der Brötchen-Zwiebel-Mischung, dem Ei und dem Senf in eine Schüssel geben, mit Salz würzen und zu einem glatten Teig verkneten. 12 Fleischpflanzerl formen und in einer Pfanne im heißen Butterschmalz bei mittlerer Hitze 8 bis 10 Minuten braten. Die Fleischpflanzerl auf einer Platte im Ofen warm stellen.
4. Den Bratensatz in der Pfanne mit Fleischbrühe ablöschen und 1 Minute kochen. Schlagsahne zugießen und nach Wunsch dicklich einkochen. Schnittlauch in Röllchen schneiden und zugeben, die Sauce mit Salz und Pfeffer würzen und zu den Fleischpflanzerln servieren. Dazu passt mein Kartoffelsalat von Seite 173.

Zubereitungszeit: 30 Minuten

Fleischpflanzerl ist die bayerische Bezeichnung für das schwäbische **»Fleischküchle«**, die norddeutsche **»Frikadelle«** und die Berliner **»Bulette«**. Gemeint ist immer ein Hackklops (das Fleisch wurde vor der Erfindung des Fleischwolfs ausdauernd »geklopft«) mit mehr oder weniger hohem Brotanteil, fein gewürzt und in der Pfanne gebraten.

KOHLROULADEN

Zutaten (für 4–6 Personen)
80 g Langkornreis
Salz
1 Brötchen
1/8 l Milch
600 g gemischtes Hackfleisch
2 Eier (M)
Pfeffer
1 Weißkohl (am besten mild-zarten Jaroma-Kohl)
3 Zwiebeln
2 EL Öl
2 EL Butterschmalz
3 Tomaten
400 ml Gemüsebrühe
1 TL Kümmelsamen

1. Für die Füllung der Rouladen den Reis nach Packungsanweisung in Salzwasser kochen. Währenddessen das Brötchen fein würfeln und mit der Milch begießen. Reis am Ende der Garzeit abgießen, unter kaltem Wasser abkühlen und abtropfen lassen. Hackfleisch mit dem in Milch eingeweichten Brötchen, dem Reis und den Eiern verkneten. Die Hackmasse mit Salz und Pfeffer würzen und im Kühlschrank kalt stellen.
2. Reichlich Salzwasser in einem großen Topf aufkochen. Den Strunk des Weißkohls keilförmig ausschneiden und eine Fleischgabel in die Öffnung stechen. Den Kohl an der Fleischgabel ins sprudelnde Wasser tauchen und 1 bis 2 Minuten kochen. Nach und nach die Blätter ablösen, insgesamt 16 der Blätter loskochen. Die Blätter mit einer Schaumkelle herausnehmen und in kaltem Wasser abkühlen.
3. Vom übrigen Kohl 200 g abwiegen und fein würfeln. Zwiebeln pellen und klein schneiden. Öl in einer Pfanne erhitzen, Zwiebeln und Kohl darin hellbraun anbraten. Salzen und auf einem Backblech abkühlen lassen.
4. Die Kohlblätter zwischen Küchentüchern trocknen, die dicken Mittelrispen mit dem Nudelholz platt drücken. Je 2 Blätter übereinanderlappend auslegen.
5. Die abgekühlte Zwiebel-Kohl-Mischung unter die Hackmasse aus dem Kühlschrank kneten. In 8 Portionen teilen und mittig auf die vorbereiteten Blätter geben. Die Seiten einschlagen und die Kohlrouladen aufrollen.
6. Den Backofen auf 170 Grad vorheizen.
7. Butterschmalz in einem Bräter erhitzen, die Kohlrouladen darin zunächst auf der Nahtstelle, dann rundum goldbraun anbraten. Tomaten stückeln und mit der Brühe im Mixer pürieren. Die Sauce in einem Topf mit Kümmelsamen, Salz und Pfeffer würzen, aufkochen und über die Rouladen gießen.
8. Den Bräter auf der mittleren Schiene in den heißen Ofen schieben und die Rouladen darin 35 Minuten garen, dabei ab und zu wenden. Dazu passen Reis, Salzkartoffeln oder Kartoffelpüree (siehe S. 213).

Zubereitungszeit: 1 Stunde 30 Minuten

HÜHNERFRIKASSEE

Das Hühnerfrikassee war das erste Rezept, das wir für dieses Buch gekocht haben – eine Kindheitserinnerung und bis heute eins meiner allergrößten Lieblingsessen! So schmeckt für mich Deutschland am Mittag. Am besten passt dazu Reis mit Butter und gehackter Petersilie.

Zutaten
(für 4–6 Personen)
1 fertig zubereitete Hühnerbrühe (Rezept siehe S. 27)
150 g braune Champignons
60 g Butter
40 g Mehl (Type 405), gesiebt
1/8 l trockener Weißwein (z. B. Silvaner oder Grauburgunder)
500 g Spargel
300 g frische Erbsen in der Schote (wahlweise 150 g TK-Erbsen)
250 g Schlagsahne
Salz
Cayennepfeffer

1. **Die Hühnerbrühe (am besten schon am Vortag) zubereiten.**
2. **700 ml kalte Hühnerbrühe abmessen. Das gekochte Hühnerfleisch so großstückig wie möglich ablösen.**
3. **Die Champignons putzen und vierteln. Butter in einem großen Topf schmelzen, die Champignons darin andünsten. Das gesiebte Mehl mit einem Schneebesen unterrühren und aufwallen lassen. Dann den Wein in dünnem Strahl unter ständigem Rühren hinzufügen. Mit der Hühnerbrühe auffüllen und unter Rühren aufkochen. 10 Minuten offen kochen lassen.**
4. **Inzwischen den Spargel schälen, die Enden abschneiden und die Stangen vierteln. Die Erbsen aus den Schoten pulen.**
5. **Schlagsahne zur Brühe geben und aufkochen lassen. Den Spargel hinzufügen und 5 Minuten offen kochen lassen. Die Erbsen dazugeben und weitere 3 Minuten kochen. Das Hühnerfleisch hinzufügen und nochmals 1 Minute kochen. Mit Salz und Cayennepfeffer würzen.**

Zubereitungszeit: 30 Minuten (plus 2 Stunden und Abkühlzeit für die Hühnerbrühe)

HÜHNERFRIKASSEE-QUICKIE Für eine schnellere Hühnerbrühe 5 Hähnchenkeulen und 1 Bund Suppengrün (gewaschen, geputzt und fein gewürfelt) in einem Topf mit Wasser bedecken. 1 halbierte Zwiebel und 1 halbierte Tomate sowie 1 Lorbeerblatt, 1 Nelke, 1 TL Zucker und eine kräftige Prise Salz zugeben. Aufkochen und 30 Minuten leise offen köcheln lassen. Durch ein Sieb passieren und abkühlen lassen. Hähnchenkeulen häuten, das Fleisch abzupfen. Dann wie oben beschrieben fortfahren.

OMELETT

MIT FRANKFURTER GRÜNER SAUCE

Zutaten (für 4 Personen)

Für die Grüne Sauce:

1 Bund Kräuter für Frankfurter Grüne Sauce
250 g Schmand
3 EL Milch
2 EL Mayonnaise
Apfelessig (wahlweise Kräuteressig)
Salz
Pfeffer
Zucker

Für das Kartoffelomelett mit Kräutersalat:

5 Eier (L)
3–4 gekochte Kartoffeln vom Vortag
1 Frühlingszwiebel
Salz
Pfeffer
3 EL Öl
4 Zweige Petersilie
2 Zweige Kerbel
1 Zweig Dill
Weißweinessig
Olivenöl

1. Für die Grüne Sauce die Kräuter waschen und trocken schleudern. Mit 125 g Schmand und der Milch im Mixer pürieren. Übrigen Schmand und die Mayonnaise unterrühren. Mit 1 bis 2 EL Essig, Salz, Pfeffer und einer Prise Zucker abschmecken.
2. Für das Kartoffelomelett den Backofen auf 140 Grad vorheizen.
3. Die Eier verquirlen. Kartoffeln pellen und klein schneiden, Frühlingszwiebel putzen und in feine Ringe schneiden, die weißen Ringe beiseitestellen. Die grünen Frühlingszwiebelringe und die Kartoffeln unter die Eier rühren. Omelettmasse mit Salz und Pfeffer würzen.
4. Öl in einer beschichteten, ofenfesten Pfanne erhitzen, Omelettmasse hineingeben und bei milder Hitze 3 Minuten garen. In den Ofen stellen und auf der mittleren Schiene 12 bis 15 Minuten stocken lassen.
5. Petersilie, Kerbel und Dill fein zupfen und mit den weißen Frühlingszwiebelringen mischen. Mit einem Spritzer Weißweinessig und Olivenöl marinieren, mit Salz und Pfeffer würzen.
6. Das Omelett in Stücke schneiden und auf der Grünen Sauce anrichten. Mit Kräutersalat toppen und sofort servieren.

Zubereitungszeit: 35 Minuten (plus Garzeit Kartoffeln am Vortag)

GRÜNE SAUCE Über das Originalrezept des hessischen Küchenklassikers herrscht Uneinigkeit, die traditionelle Kräutermischung bilden jedoch die folgenden sieben: Borretsch, Kerbel, Kresse, Petersilie, Pimpinelle, Sauerampfer und Schnittlauch. Gerade die Pimpinelle ist unverzichtbar für den typischen Geschmack der Sauce. Borretsch ist, besonders im Norden, nicht immer erhältlich und kann (heimlich und nur im Notfall!) durch Estragon oder Dill ersetzt werden.

STEHT SEIT JAHRZEHNTEN IM HIPPODROM AM HÄHNCHENGRILL: TURBO!

BRATHÄHNCHEN

Zutaten (für 2–4 Personen)
1 Hähnchen (ca. 1,2 kg)
3 Knoblauchzehen
1 Bio-Zitrone
6 Zweige Thymian
Salz
2 Zwiebeln
50 g Butter
1 EL Paprikapulver, edelsüß
1 TL scharfes Paprikapulver
300 g braune Champignons
60 g Speckwürfel
Öl
1/2 Bund Petersilie
2 EL Perlzwiebeln aus dem Glas
Pfeffer

1. Das Hähnchen innen und außen kalt abwaschen und mit Küchenpapier trocknen. Sind Innereien in einem Beutel mit dabei, diese abspülen und klein schneiden. Hals und Flügelspitzen vom Hähnchen abtrennen.
2. Knoblauchzehen pellen und halbieren, die Zitrone halbieren. Das Huhn mit den Zitronenhälften, Thymian und den Knoblauchzehen füllen, dann mit Küchengarn die Keulen fest zusammenbinden. Das Garn nun zwischen Keulen und Brust entlangführen und das Huhn umdrehen. Garn um die Flügel fixieren, festziehen und verknoten. Das Huhn rundherum kräftig salzen.
3. Den Backofen auf 200 Grad vorheizen.
4. Zwiebeln pellen, in Spalten schneiden und mit Hals, Flügeln und gegebenenfalls den Innereien in einem Bräter hellbraun anbraten. 400 ml heißes Wasser angießen und aufkochen. Das Hähnchen einsetzen und in den Ofen schieben, 35 Minuten garen.
5. Butter mit den beiden Paprikapulver-Sorten in einem Topf schmelzen. Das Huhn dünn mit der Paprikabutter bestreichen. Weitere 15 Minuten garen, dabei immer wieder mit der Paprikabutter bestreichen.
6. Inzwischen die Champignons in Scheiben schneiden. Speckwürfel in einer Pfanne in wenig Öl knusprig braten, die Champignons zugeben und goldbraun braten. Petersilie hacken und mit den Perlzwiebeln unterrühren.
7. Das Hähnchen aus dem Ofen nehmen, den Sud aus dem Bräter durch ein Sieb passieren und zur Champignonpfanne gießen. Aufkochen und mit Salz und Pfeffer würzen. Zum Hähnchen servieren.

Zubereitungszeit: 1 Stunde 20 Minuten

PELLKARTOFFELN MIT KRÄUTERQUARK

Zutaten (für 4 Personen)
1 kg Pellkartoffeln (siehe unten)
Salz
1–2 TL Kümmelsaat
1 großes Bund Gartenkräuter (z. B. Petersilie, Kerbel, Dill, Borretsch, Pimpinelle, Sauerampfer, Estragon)
1 Bund Schnittlauch
750 g Quark (20 % Fett)
3–4 EL Leinöl (wahlweise Rapsöl)
Pfeffer

1. **Kartoffeln mit Schale in Salzwasser weich kochen; je nach Größe dauert das 20 bis 30 Minuten.**
2. **Für den Quark die Kümmelsaat in einer Pfanne erhitzen, bis sie knisternd zu springen beginnt. Leicht abkühlen lassen und die Körner fein zerreiben oder hacken. Die Kräuter hacken, Schnittlauch in Röllchen schneiden und sofort mit dem Quark verrühren.**
3. **Kümmelsaat und Leinöl unter den Quark rühren und mit Salz und Pfeffer würzen. Kartoffeln abgießen und zum Quark servieren.**

Zubereitungszeit: 30 Minuten

Wählen Sie für Pellkartoffeln festkochende oder vorwiegend festkochende Sorten. Bestens geeignet sind Linda, Annabelle, Marabel oder Bamberger Hörnle – auf dem Wochenmarkt hat der Kartoffelbauer Tipps zum saisonalen Angebot.

Kaltgepresstes Leinöl aus Leinsamen ist das »Olivenöl des Nordens« und insbesondere in Sachsen und der Lausitz beheimatet. Das goldgelbe, nussig-herb schmeckende Öl wird leider schnell ranzig – kaufen Sie daher nur kleine Flaschen, die Sie am besten im Kühlschrank aufbewahren.

TURECKI
LIKES THAT

RINDERROULADEN

Zutaten
(für 4–6 Personen)
8 Scheiben Rinderrouladenfleisch à 150 g
4 EL scharfer Senf
16 Scheiben durchwachsener Speck
1 gr. Gewürzgurke (ca. 120 g)
4 Zwiebeln
Salz
Pfeffer
6 EL Mehl
4 EL Öl
1 Möhre
1 Petersilienwurzel
1/2 Stange Lauch
1 TL Zucker
1 EL Tomatenmark
1/2 l junger Rotwein
60 g kalte Butter
1/2 Bund Schnittlauch

1. Das Rouladenfleisch auf einer langen Bahn Klarsichtfolie ausbreiten. Eine zweite Bahn Klarsichtfolie darüberlegen und das Fleisch mit einem Plattierer oder einer Pfanne schön dünn klopfen. Klarsichtfolie entfernen, das Fleisch mit Senf bestreichen und mit Speckstreifen belegen.
2. Die Gurke längs achteln und am unteren Ende der Bahnen auflegen. 3 Zwiebeln pellen, in feine Streifen schneiden und über den Gurken verteilen. Die Seiten der Rouladen einklappen, die Rouladen zusammenrollen und an der Nahtstelle mit Holzspießen oder Rouladennadeln fixieren.
3. Den Backofen auf 160 Grad vorheizen.
4. Die Rouladen mit Salz und Pfeffer würzen und im Mehl wenden. In einem Bräter im heißen Öl rundherum goldbraun braten.
5. Möhre und Petersilienwurzel schälen und würfeln, Lauch längs halbieren und klein schneiden, 1 Zwiebel pellen und ebenfalls würfeln. Die Gemüse im Bräter neben den Rouladen hellbraun garen. Zucker und Tomatenmark unterrühren und so lange weiterbraten, bis ein Bodensatz entsteht. Rotwein angießen und den Bodensatz loskochen.
6. Den Bräter auf der mittleren Schiene in den Ofen schieben und die Rouladen darin 2 Stunden zugedeckt garen, dabei ab und zu wenden.
7. Die fertig gegarten Rouladen herausnehmen und auf einer Platte im ausgeschalteten Ofen warm halten. Die Sauce durch ein Sieb in einen Topf passieren und offen 3 bis 5 Minuten einkochen. Die Butter würfeln und unter Rühren in der Sauce schmelzen, dann mit Salz und Pfeffer würzen und über die Rouladen gießen. Schnittlauch in Röllchen schneiden und darüberstreuen.

Zubereitungszeit: 50 Minuten (plus 2 Stunden Garzeit)

KÖNIGSBERGER KLOPSE

Zutaten
(für 4–6 Personen)
1–2 Zwiebeln (ca. 100 g)
Öl
1/8 l Milch
1 Brötchen
600 g Kalbshack
1 Ei (M)
1–2 TL scharfer Senf
8 Zweige Petersilie
Salz
1 Sardellenfilet
1/2 Bio-Zitrone
1 Lorbeerblatt
50 g Butter
50 g Mehl (Type 405) plus
1 TL Mehl für die frittierten Kapern
3/4 l kalte Fleischbrühe
150 g Schlagsahne
1 kleines Glas Kapern (60 g EW)
Cayennepfeffer

1. Zwiebeln pellen und fein würfeln. In einer Pfanne in 1 EL Öl glasig dünsten. Milch zugießen, aufkochen und vom Herd ziehen. Brötchen fein würfeln, unterrühren und einweichen, dann mit einer Gabel zu einem feinen Brei zermusen.
2. Hackfleisch mit der Brötchen-Zwiebel-Mischung, dem Ei, Senf und 4 Zweigen gehackter Petersilie in eine Schüssel geben. Mit Salz, fein gehacktem Sardellenfilet und 1/2 TL fein abgeriebener Zitronenschale würzen und zu einem glatten Teig verkneten. 20 Bällchen formen und diese in siedendem Salzwasser mit einem Lorbeerblatt bei mittlerer Hitze 10 Minuten garen.
3. Butter in einem Topf schmelzen, das Mehl mit einem Schneebesen einrühren und aufwallen lassen. Kalte Brühe in dünnem Strahl einrühren, aufkochen und die Schlagsahne zugeben. Unter gelegentlichem Rühren 6 bis 8 Minuten kochen.
4. 1 EL Kapern zur Sauce geben und mit der Kapernflüssigkeit, 1 bis 2 EL Zitronensaft, Salz und Cayennepfeffer würzen.
5. Übrige Kapern in 1 TL Mehl wenden und in einem kleinen Topf, dessen Boden mit Öl bedeckt ist, knusprig frittieren. Herausnehmen, auf Küchenpapier abtropfen lassen und salzen. 4 Zweige Petersilie (sie muss ganz trocken sein!) in Sträußchen zupfen und ebenfalls kurz im Öl frittieren. Auf Küchenpapier abtropfen lassen, ebenfalls salzen.
6. Die Hackbällchen zur Sauce geben und einmal aufkochen. Mit frittierten Kapern und Petersilie auf Tellern anrichten. Dazu passen Salzkartoffeln.

Zubereitungszeit: 45 Minuten

Königsberger Klopse gehören zu den deutschen Nationalgerichten. Laut Forsa-Institut kennen 93 Prozent hierzulande diesen Klassiker, der erstmals nach 1900 als »Klopps von Kalbfleisch« oder »Soßenklops« Erwähnung fand und nicht nur im ostpreußischen Königsberg aufgetischt wurde.

112
FEUERWEHR
FEUERWEHR

SCHMORZWIEBELN 3 große Gemüsezwiebeln pellen und in Ringe schneiden. 4 EL Öl in einer großen Pfanne erhitzen, die Zwiebelringe hineingeben, salzen und bei milder Hitze unter Rühren in 15 bis 20 Minuten weich und goldbraun schmoren. 1 TL Zucker unterrühren, mit 50 ml Weißwein (oder Apfelsaft) ablöschen und aufkochen. Mit Pfeffer würzen, eventuell nachsalzen.

Der Teig ist auch ein perfektes Grundrezept für Nudelteig und kann mit den entsprechenden Aufsätzen der Nudelmaschine in viele Formen gebracht werden.

MAULTASCHEN

Zutaten (für 6 Personen)

Für den Teig:
3 Eier (M)
300 g Mehl (Type 550), gesiebt
50 g Hartweizengrieß
Salz
Mehl für die Arbeitsfläche
1 Eigelb (M)
1 EL Schlagsahne

Für die Füllung:
300 g Spinat
2 große Gemüsezwiebeln (ca. 800 g)
20 g Butter
2 EL Sonnenblumenöl
1 Knoblauchzehe
1 TL Zucker
Salz
Pfeffer
100 g Semmelbrösel
150 g kräftiger Bergkäse
2 Eier (M)
50 g Schlagsahne
300 g Rinderhack
frisch geriebene Muskatnuss

Zum Servieren:
2 l kräftige Gemüsebrühe
4 EL Schnittlauchröllchen

1. Für den Teig die Eier mit 50 ml Wasser verquirlen. Mit dem gesiebten Mehl, Hartweizengrieß und einer großzügigen Prise Salz zu einem glatten, festen Teig verkneten. Den Teig auf einer bemehlten Fläche 1 Minute kräftig kneten. In Klarsichtfolie gewickelt in den Kühlschrank legen.
2. Für die Füllung den Spinat putzen, dabei dicke Blattrispen entfernen. Den Spinat in lauwarmem Wasser gründlich waschen, grob zerrupfen und trocken schleudern. Die Zwiebeln pellen und fein würfeln. Butter in einem Bräter mit dem Öl schmelzen, die Zwiebeln zugeben und bei mittlerer Hitze unter Rühren in 10 Minuten goldbraun braten. Mit geschältem und durchgepresstem Knoblauch, Zucker, Salz und Pfeffer würzen. Den Spinat unterrühren und weiterschmoren, bis der Spinat zusammengefallen und eventuell austretendes Wasser wieder verkocht ist. Semmelbrösel zugeben und 2 Minuten garen. Dann die Füllung vom Herd nehmen und erkalten lassen.
3. Bergkäse reiben und mit Eiern, Sahne und Rinderhack zur Füllung geben. Alles gut verkneten, dann mit Salz, Pfeffer und einer Prise Muskatnuss würzen.
4. Ein Viertel des gekühlten Nudelteigs leicht bemehlt durch die Nudelmaschine lassen, dabei den Teig stufenweise immer feiner ausrollen – er sollte gerade noch blickdicht sein. Ein Viertel der Füllung in einem breiten Streifen auf dem oberen Drittel der Nudelbahn verteilen.
5. 1 Eigelb mit 1 EL Schlagsahne verquirlen und die Bahn damit dünn bestreichen. Nudelbahn mit der Füllung einmal nach unten umschlagen, leicht flach drücken und nochmals umschlagen. Etwa alle 7 Zentimeter mit dem Stiel eines Holzlöffels eindrücken und an dieser Stelle mit einem Nudelrädchen oder Messer trennen. Die entstandenen Enden fest zusammendrücken. Auf diese Weise Maultaschen herstellen, bis Teig und Füllung verbraucht sind.
6. Die Maultaschen in siedende Gemüsebrühe geben und 10 Minuten darin gar ziehen lassen, nicht kochen. In der Brühe mit Schnittlauchröllchen und eventuell Schmorzwiebeln (siehe links) servieren.

Zubereitungszeit: 2 Stunden

GULASCH

Zutaten
(für 4–6 Personen)
1 kg Rinderschulter ohne Knochen, küchenfertig
2 Gemüsezwiebeln (ca. 500 g)
1–2 Knoblauchzehen
2 EL Butterschmalz
2–3 Lorbeerblätter
1 EL Paprikapulver, edelsüß
3 EL Tomatenmark
350 ml Rotwein
Salz
Pfeffer
1/2 TL Kümmelsamen
1/2 Bio-Zitrone

1. Rindfleisch in 2 bis 3 cm dicke Würfel schneiden. Zwiebeln pellen und grob würfeln, Knoblauch pellen und in Scheiben schneiden.
2. Butterschmalz in einem Bräter schmelzen, das Fleisch darin rundherum anbraten. Herausnehmen, die Zwiebeln mit dem Knoblauch in den Bräter geben und im Bratfett goldbraun schmoren. Lorbeerblätter, Paprikapulver und Tomatenmark zugeben. Weitere 5 Minuten schmoren.
3. Mit Rotwein ablöschen und aufkochen. Das Fleisch zugeben, mit Salz und Pfeffer würzen. 200 ml Wasser angießen und zugedeckt bei milder Hitze 2 Stunden leise köcheln lassen.
4. Kümmelsamen in einer Pfanne ohne Fett rösten, bis die Samen zu duften beginnen und in der Pfanne springen. Im Mörser grob zermahlen. Zitronenschale fein abreiben und mit dem gerösteten Kümmel unter das Gulasch rühren. Aufkochen und servieren.

Zubereitungszeit: 25 Minuten (plus 2 Stunden Garzeit)

Dazu esse ich am liebsten Spiralnudeln und Apfelkompott (siehe S. 282). Die Kombination von würzig geschmortem Rindfleisch mit kühlem, süßem Apfelkompott ist eine echte Entdeckung! Sehr gut passen aber auch Servietten-Semmelknödel (siehe S. 196) oder ein einfacher Kartoffelstampf.

Gulasch, ursprünglich eine ungarische Spezialität, taucht erstmals um 1840 in deutschen Kochbüchern auf und gehört heute ganz selbstverständlich zum Repertoire – saftig geschmortes Fleisch mit reichlich Zwiebeln, Rotwein, Paprika, Knoblauch und Pfeffer sorgen für wärmende Würze. Dazu ein Glas vom Kochwein servieren!

ALLES KÄSE: WENN MILCH KARRIERE MACHT

Käse aus Deutschland besticht noch eher unbemerkt durch eine überraschend große Vielfalt. Das ist dem Umstand geschuldet, dass diese Vielfalt stark regional geprägt ist und oft in nur überschaubaren Mengen von handwerklich arbeitenden Hofmolkereien geliefert wird. Wer sich aber umsieht im Land, wird mit einem reichen Käseteller belohnt.

EIN WICHTIGER ASPEKT BEIM KÄSEN IST DIE QUALITÄT DER MILCH.

Diese Vielfalt verdanken wir auch den sinkenden Milchpreisen der vergangenen Jahre, u.a. sorgte der Preisdruck der Discounter auf die Molkereien dafür, dass das Milchgeschäft für die produzierenden Bauern immer unrentabler wurde. Die Veredelung der eigenen Milch war für einige Bauern der Ausstieg aus der Misere und der Neubeginn als Käsemacher.

Auf dem Backensholzer Hof (backensholz.de), zwischen Husum und Schleswig, macht man schon seit zwei Generationen Käse. Vor 23 Jahren begann Mutter Martina Metzger-Petersen mit der Käseproduktion in einem Kochtopf, heute ist die nächste Generation mit eingestiegen: In der modernen Rohmilchkäserei ist Sohn Thilo heute für den duftenden Käse zuständig, Sohn Jasper kümmert sich um die Landwirtschaft, die hofeigene Fleischerei und die Kühe. Seit 15 Jahren züchten sie ihr Milchvieh auf »Käseleistung«: beste Milch durch beste Fütterung, auch darum schmeckt der Backensholzer Käse so gut, dass er in den besten Restaurants der Region auf der Speisekarte steht. Mit Handgefühl und Erfahrung entstehen und reifen hier u.a. würzig cremiger Husumer, Friesisch Blue und Deichkäse. »Immer ähnlich, nie gleich. Wir setzen auf Handwerk statt auf Analyse«, erklärt uns Thilo beim Verkosten der Sorten und Reifegrade.

In Deutschland gibt es viele Käsereien, die die Angebotspalette deutscher Käse erweitern und gleichzeitig die Tradition pflegen: Im Allgäu wird der ursprungsgeschützte würzige Allgäuer Bergkäse hergestellt. In Hessen und den umliegenden Regionen ist der duftende Handkäs zu Hause, ein aus Sauermilchquark hergestellter Käse, eng verwandt mit dem Harzer und dem Mainzer Käse. Ganz besondere Spezialitäten finden sich in Ostdeutschland: In Sachsen-Anhalt und dem Altenburger Land wird Milbenkäse durch die Zugabe von Käsemilben fermentiert, ein besonders würziger Genuss für Kenner. Aus dem thüringisch-sächsischen Grenzgebiet stammt auch der cremige Altenburger Ziegenkäse, der dem Camembert ähnelt, auf der Zunge zergeht und mit Kümmel fein gewürzt ist. Einen der besten Ziegenkäse Deutschlands stellt Catherine André auf ihrem Ziegenhof Bachenbruch knapp zwei Autostunden von Hamburg her. Sie veredelt die köstlichen Käse mit Knoblauch, Trüffel oder Blauschimmelkäse. Aus dem ostwestfälischen Nieheim kommt der herkunftsgeschützte Käse gleichen Namens, hier findet sich auch das Deutsche Käsemuseum.

Auf dem Backensholzer Hof schaut man in die Zukunft, es gibt Bemühungen, den Deichkäse als regionale Spezialität zu schützen und auch insgesamt das Angebot zu erweitern: »Ein Käsebrett aus Backensholz, das fänd ich toll!«, sagt Thilo, Bruder Jasper gibt Highfive.

DIE BRÜDER THILO UND
JASPER METZGER-PETERSEN
VOM BACKENSHOLZER HOF

Heilig's Blechle

SPÄTZLE IN KÄSESAUCE

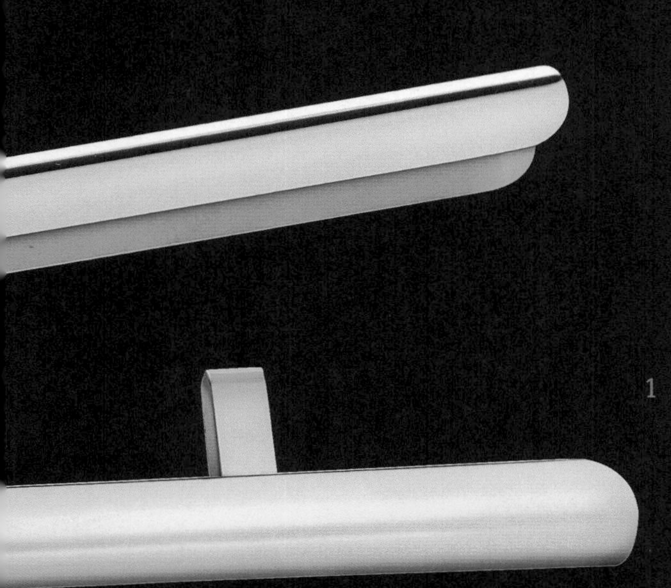

Zutaten (für 4 Personen)

3 Eier (L)
300 g Mehl (Type 405), gesiebt
Salz
etwas Öl fürs Blech
100 ml Milch
100 g Schlagsahne
100 g geriebener Allgäuer Emmentaler
80 g geriebener Gruyère-Käse
1 Prise frisch geriebene Muskatnuss

1. Eier mit 100 ml Wasser verquirlen. Mit dem gesiebten Mehl und einer guten Prise Salz zu einem Teig verrühren. Den Teig mit einem Kochlöffel oder der Hand (mit Greifbewegungen) so lange schlagen, bis er eine cremige Konsistenz bekommt und Blasen wirft. Zugedeckt kurz ruhen lassen.
2. Einen großen Topf mit Salzwasser, beinahe bis zum Rand gefüllt, aufkochen lassen. Den Spätzleteig portionsweise mit einer Palette oder einer Teigkarte auf ein befeuchtetes Holz- oder Plastikbrettchen mit glatter Oberfläche streichen, sodass der Teig zum Ende hin dünn zuläuft.
3. Jetzt mit dem Spatel möglichst dünne Teigstreifen vom Brett direkt ins leicht kochende Wasser schaben. Wahlweise kann der Teig auch portionsweise durch eine Spätzlepresse gedrückt oder mit einem Spätzlehobel ins kochende Wasser gebracht werden – die Schwaben nennen das »Faule-Weiber-Spätzle«.
4. Warten, bis die Spätzle im Wasser aufsteigen, dann 1 Minute kochen. Mit einer Schaumkelle herausnehmen und in kaltem Wasser kurz abschrecken. Tropfnass auf ein leicht geöltes Blech geben. So verfahren, bis der Teig aufgebraucht ist.
5. In einem zweiten großen Topf die Milch mit Sahne aufkochen, vom Herd nehmen und den geriebenen Käse unterrühren, bis er geschmolzen ist. Mit Salz und Muskat würzen.
6. Die abgetropften Spätzle unter Rühren in der Käsesauce erhitzen und sofort servieren.

Zubereitungszeit: 45 Minuten (vom Brett geschabt) oder 25 Minuten (mit Spätzlehobel/-presse)

BLUMENKOHL MIT KRÄUTER-KÄSESAUCE

Zutaten (für 2–4 Personen)
Salz
1 Zitrone
1 kleiner Blumenkohl (ca. 500 g)
50 ml Milch
50 ml kalte Gemüsebrühe
150 g Crème fraîche
1/2 TL Speisestärke
100 g junger Bergkäse
1/2 Bund Petersilie
4 Zweige Dill
2 Zweige Estragon
Cayennepfeffer

1. Reichlich Salzwasser mit dem Saft einer halben Zitrone aufkochen. Blätter vom Blumenkohl lösen und den Blumenkohl ins Kochwasser geben. Zugedeckt 10 bis 12 Minuten garen.
2. Milch mit Gemüsebrühe, Crème fraîche und Speisestärke glatt rühren. In einem Topf unter Rühren erwärmen und einmal aufkochen. Den Käse fein reiben. Petersilie hacken, Dill und Estragon fein schneiden. Käse und Kräuter zur Sauce geben und den Käse unter Rühren in der heißen Sauce schmelzen.
3. Die Sauce mit Salz, Cayennepfeffer und 1 bis 2 Spritzern Zitronensaft abschmecken, dann mit dem Pürierstab schaumig pürieren. Den Blumenkohl mit einer Schaumkelle aus dem Wasser heben, auf Küchenpapier abtropfen lassen und auf einer vorgewärmten Platte mit der Sauce begießen.

Zubereitungszeit: 20 Minuten

Zum Blumenkohl schmecken Salzkartoffeln oder Kartoffelpüree (siehe S. 213). Die Kräuter-Käsesauce passt auch zu vielen anderen Gemüsen, besonders gut zu gekochtem Kohlrabi, Brokkoli, Spargel oder Mairübchen.

DOPPELKOTELETT MIT APFEL-ZWIEBEL-STAMPF

Zutaten (für 2–4 Personen)

650 g mehlig kochende Kartoffeln
1 Gemüsezwiebel
Salz
2 EL Butterschmalz
1 doppeltes Schweinekotelett in Bioqualität (ca. 500 g)
schwarzer Pfeffer aus der Mühle
1–2 Äpfel (z.B. Jonagold)
80 g Butter
2 Zweige Majoran

1. Kartoffeln schälen, Gemüsezwiebel pellen und vierteln. Beides zusammen in kochendem Salzwasser 20 bis 30 Minuten, je nach Größe der Kartoffeln, weich garen.
2. Den Backofen auf 50 Grad vorheizen, dabei eine kleine Platte oder einen Teller für das Kotelett miterwärmen.
3. Butterschmalz in einer Grillpfanne oder Pfanne stark erhitzen. Das Kotelett hineinlegen und bei mittlerer Hitze 6 bis 8 Minuten braten. Mit Salz und Pfeffer würzen, wenden und auch die andere Seite würzen. Weitere 6 bis 8 Minuten braten. Das Fleisch aus der Pfanne zum Ruhen auf die Platte oder den Teller im heißen Ofen legen.
4. Die Äpfel ungeschält achteln, entkernen und zu den Kartoffeln geben. 5 Minuten mitkochen. Alles abgießen und in einem Topf mit der Butter zu einem groben Püree zerstampfen. Mit Salz und Pfeffer würzen.
5. Einen Streifen Fett vom Kotelett schneiden und klein würfeln. Majoran fein hacken und mit dem Fett mischen. Mit Salz und Pfeffer würzen und zum in Scheiben geschnittenen Kotelett mit Kartoffelstampf servieren.

Zubereitungszeit: 35 Minuten

Bei einem Schwein, das artgerecht und in Ruhe aufwachsen durfte, ist die Fettschicht leuchtend weiß und wesentlich dicker als bei einem Tier aus industrieller Massentierhaltung. Dieses Fett schmeckt dann feinwürzig-aromatisch und gibt dem Fleisch schon beim Braten Geschmack und Saftigkeit, während es langsam schmilzt und goldbraun röstet.

SENFEIER

Zutaten (für 4 Personen)

- 750 g mehlig kochende Kartoffeln
- Salz
- 150 ml Milch
- 150 g Schlagsahne
- 1 Handvoll Babyspinat
- 2 EL heller Essig
- 2–3 Eier (M) pro Person
- Öl für die Tassen
- 100 ml Hühnerbrühe
- 20 g kalte Butter
- 1 EL scharfer Senf

1. Für das Kartoffelpüree die Kartoffeln mit Schale in Salzwasser weich kochen; das dauert je nach Größe 20–25 Minuten. Abgießen und ausdampfen lassen. Dann Kartoffeln pellen und zweimal durch eine Kartoffelpresse drücken. Milch und 50 g Sahne erhitzen und in einem Topf mit dem Kartoffelschnee cremig rühren. Mit Salz würzen und warm stellen.
2. Spinat waschen, putzen und trocken schlendern.
3. Für die verlorenen Eier den Essig zum Kochwasser der Eier geben und aufkochen. Eier zuerst einzeln in geölte Tassen schlagen, dann nacheinander ins leicht siedende Wasser gleiten lassen. Dazu das Wasser mit einem Schneebesen strudelig rühren, dann die Eier einzeln in den Strudel gleiten lassen. Jedes Ei mit einem größeren Löffel auffangen und das stockende Eiweiß um das Eigelb hüllen.
4. Die Eier 3 bis 4 Minuten im siedenden Wasser gar ziehen lassen (pochieren). Vorsichtig herausheben, leicht salzen und tropfnass zwischen zwei vorgewärmten tiefen Tellern warm halten.
5. Hühnerbrühe mit 100 g Sahne aufkochen und 3 Minuten offen kochen lassen. Die Kalte Butter würfeln und mit dem Senf einrühren, dann mit dem Pürierstab schaumig mixen. Die Sauce mit Salz würzen.
6. Kartoffelpüree erhitzen und mit den verlorenen Eiern auf vorgewärmten Tellern anrichten. Mit der Sauce beschöpfen und mit Spinat bestreut servieren.

Zubereitungszeit: 45 Minuten

SCHUPFNUDELN MIT PILZEN

Zutaten (für 4 Personen)
600 g große, mehlig kochende Kartoffeln
Salz
60 g Mehl (Type 405)
30 g Weizengrieß
10 g Speisestärke
1 Ei (M)
Mehl und Grieß für die Arbeitsplatte
450 g gemischte Pilze (z. B. Pfifferlinge, braune Champignons, Steinpilze, Morcheln, Samtkappen)
5 EL Rapsöl
1 EL Butter
1 Sternanis
Pfeffer
1/2 Bund Schnittlauch

1. **Die Kartoffeln waschen und mit Schale in Salzwasser weich kochen – das dauert je nach Größe 25 bis 35 Minuten. Etwas ausdämpfen lassen und noch warm pellen. Die Kartoffeln zweimal durch die Kartoffelpresse drücken und komplett auskühlen lassen.**
2. **Mehl und Grieß mit Speisestärke mischen und mit dem verquirlten Ei zu den erkalteten Kartoffeln geben. Rasch zu einem glatten Teig verkneten und nur leicht salzen (siehe unten). Die Arbeitsplatte mit etwas Mehl und Grieß bestäuben. Aus dem Teig haselnussgroße Portionen zwischen den Händen zu Schupfnudeln rollen (»schupfen«) und auf die Arbeitsfläche legen.**
3. **Die Schupfnudeln leicht im Grieß-Mehl-Gemisch wälzen, dann portionsweise in siedendem Salzwasser 2 bis 3 Minuten garen. Mit einer Schaumkelle herausnehmen und in kaltem Wasser abkühlen lassen.**
4. **Den Backofen auf 80 Grad vorheizen.**
5. **Die Pilze putzen und in mundgerechte Stücke schneiden. 3 EL Öl in einer großen beschichteten Pfanne erhitzen, die abgetropften Schupfnudeln darin goldbraun braten (siehe unten). Auf einer Platte im Ofen warm stellen.**
6. **2 EL Öl und die Butter in die Pfanne geben und die Pilze mit dem Sternanis darin goldbraun braten. Mit Salz und Pfeffer würzen. Schnittlauch in Röllchen schneiden und untermengen. Schupfnudeln mit den Pilzen anrichten und sofort servieren.**

Zubereitungszeit: 3 Stunden

Schupfnudeln sind eine Art schwäbische Gnocchi di patate und werden, wie ihre italienischen Verwandten, aus Kartoffelteig hergestellt. Sie haben allerdings eine eher nudelige Form. Im Schwäbischen gibt es dafür die schöne wortmalerische Bezeichnung »Bubespitzle«. Schupfnudeln passen als Beilage zu großen Braten, werden gern in Bröselbutter (siehe S. 217) geschwenkt oder auf Volksfesten mit Sauerkraut und Speckwürfeln serviert.

Die Kartoffelmasse zügig verarbeiten – steht sie zu lange, wird sie weich und verliert Bindung. Auch zu viel Salz lässt die Masse weich werden, salzen Sie darum nur leicht. Klebt das Ganze beim Verarbeiten trotzdem, fügen Sie mehr Mehl hinzu. Pilze neigen dazu, beim Braten Wasser zu verlieren. Kein Problem: Lassen Sie das austretende Wasser einfach verkochen, und braten Sie die Pilze anschließend weiter, bis sie Farbe bekommen.

BIRNEN, BOHNEN UND SPECK

Zutaten
(für 4–6 Personen)
300 g kleine Perlzwiebeln oder Schalotten
700 g durchwachsener Speck
500 g grüne Bohnen
1 EL Butterschmalz
500 g vorwiegend festkochende Kartoffeln
1 Bund Bohnenkraut
2–3 Birnen
Salz
Pfeffer
Zucker

1. Die Perlzwiebeln pellen. Dazu kurz ungeschält in kochendes Wasser legen, dann in kaltem Wasser abkühlen. Jetzt die Zwiebeln an der Wurzel aufschneiden und herausdrücken. Vom Speck die Schwarte abschneiden, den Speck in dicke Scheiben schneiden, die Scheiben dritteln. Die grünen Bohnen putzen.
2. Butterschmalz in einem Bräter erhitzen, die Schwarte und die Speckscheiben zugeben und mit den Perlzwiebeln andünsten. 750 ml heißes Wasser zugeben und offen 15 Minuten leise köcheln lassen.
3. Inzwischen die Kartoffeln schälen und in mundgerechte Stücke schneiden. In den Bräter geben, unterrühren und weitere 10 Minuten garen. Bohnen zufügen und nochmals 5 Minuten kochen.
4. Das Bohnenkraut hacken, die ungeschälten Birnen achteln und entkernen. Birnen und Bohnenkraut unterrühren und 5 Minuten mitkochen. Den Eintopf mit Salz, Pfeffer und einer Prise Zucker würzen.

Zubereitungszeit: 45 Minuten

Das ist bei uns ein echtes Familienessen, und wir mögen es etwas verkocht: Wenn die Kartoffeln und Birnen schon leicht zerfallen, ist es perfekt. Dafür den Eintopf vor dem Servieren einfach noch mal 5 Minuten weiterkochen lassen. Persönlich mag ich außerdem gern viel Birne – ich würde immer drei Birnen reinschnippeln.

KALBSRAHMGESCHNETZELTES MIT RÖSTI

Zutaten (für 2 Personen)

Für die Rösti:
500 g überwiegend festkochende Kartoffeln
Salz
Pfeffer
Muskatnuss
3 EL Butterschmalz

Für das Geschnetzelte:
250 g Kalbsschnitzel
100 g braune Champignons
2 EL Mehl (Type 405)
3 EL Sonnenblumenöl
Salz
Pfeffer
100 ml Kalbsfond (wahlweise Rinder- oder Gemüsebrühe)
150 g Schlagsahne
1/2 Bund Schnittlauch

1. Für die Rösti den Backofen auf 80 Grad vorheizen.
2. Die Kartoffeln schälen. 300 g Kartoffeln grob raspeln, 200 g Kartoffeln fein raspeln. Den Rieb mischen und in einem Tuch gut trocken ausdrücken. Mit Salz, Pfeffer und einer Prise frisch geriebener Muskatnuss würzen.
3. Butterschmalz in einer großen Pfanne erhitzen. Kartoffelrieb in 2 Portionen hineingeben und 2 Rösti formen. Bei mittlerer Hitze auf jeder Seite 6 bis 8 Minuten braten, dabei nur einmal wenden! Auf Küchenpapier abgetropft auf einer Platte im Ofen warm halten.
4. Für das Geschnetzelte die Kalbsschnitzel in Streifen schneiden, die Champignons halbieren. Das Fleisch in Mehl wenden und in einer großen beschichteten Pfanne in heißem Öl goldbraun anbraten. Mit Salz und Pfeffer würzen, herausnehmen und auf einer Platte in den Ofen zu den Rösti stellen.
5. Champignons ins Bratfett geben und goldbraun braten. Kalbsfond und 50 g Schlagsahne hinzufügen und offen in wenigen Minuten dicklich einkochen. Übrige Sahne steif schlagen und mit dem Fleisch aus dem Ofen unter die eingekochte Rahmsauce rühren. Aufkochen und mit Salz und Pfeffer würzen. Schnittlauch in Röllchen schneiden und unterrühren. Das Geschnetzelte mit den Rösti servieren.

Zubereitungszeit: 45 Minuten

Labskaus

Zutaten (für 4 Personen)
350 g Rote Bete
800 g Kartoffeln
Salz
150 g Zwiebeln
50 g Butter
200 g Corned Beef
50 ml Rinderbrühe (wahlweise Gemüsebrühe)
2–3 EL Gewürzgurkenwasser
Pfeffer
4 Gewürzgurken
4 Rollmöpse (wahlweise Matjesfilet oder eingelegter Hering)

1. Die Roten Beten waschen und in der Schale je nach Größe 30 bis 60 Minuten weich kochen. Die Kartoffeln waschen und in einem zweiten Topf mit Schale in Salzwasser ebenfalls weich kochen; je nach Größe dauert das 20 bis 30 Minuten. Zum Ende der Garzeit beides kalt abschrecken und etwas abkühlen lassen, dann Kartoffeln und Beten schälen – die Roten Beten am besten mit Einweghandschuhen.
2. Zwiebeln pellen, fein würfeln und in einer großen Pfanne oder einem Bräter in der Butter glasig dünsten. Das Corned Beef zugeben und 2 Minuten mitschmoren. Eine halbe Rote Bete zurückbehalten, übrige Rote Beten im Mixer fein hacken und unterrühren. Mit Brühe und Gewürzgurkenwasser verrühren und aufkochen. Die Kartoffeln durch eine Kartoffelpresse drücken und dazugeben. 2 bis 3 Minuten unter Rühren dicklich-cremig einkochen, dann mit Salz und Pfeffer kräftig würzen.
3. Die halbe Rote Bete in Scheiben schneiden und mit halbierten Gewürzgurken, Rollmöpsen und dem Labskaus auf vorgewärmten Tellern anrichten.

Zubereitungszeit: 1 Stunde 30 Minuten (bzw. je nach Garzeit der Roten Beten weniger)

Das klassische deutsche Labskaus, ein Eintopfgericht aus Seemannszeiten, ist an Niederelbe, Nord- und Ostsee sowie im nördlichen Niedersachsen zu Hause, aber auch in englischen Häfen beliebt. Schriftliche Erwähnung findet das Rezept erstmals zu Beginn des 18. Jahrhunderts: ein grober Kartoffelstampf mit Pökelfleisch, Zwiebeln und Speck. Damals sorgte vor allem das Pökelfleisch für die charakteristische rötliche Farbe, in unserem Rezept färbt gekochte Rote Bete das Ganze kräftig. Klassischerweise kommen noch hinzu: Gewürzgurken, Hering, Rollmops oder Matjes und ein Spiegelei. Selbst Landratten sind nach anfänglichem Zögern meist schon beim ersten Happen begeistert. (Den Fisch können Sie übrigens auch weglassen, denn das erste Labskaus war ja, geschichtlich verbrieft, eine Fleischmahlzeit!)

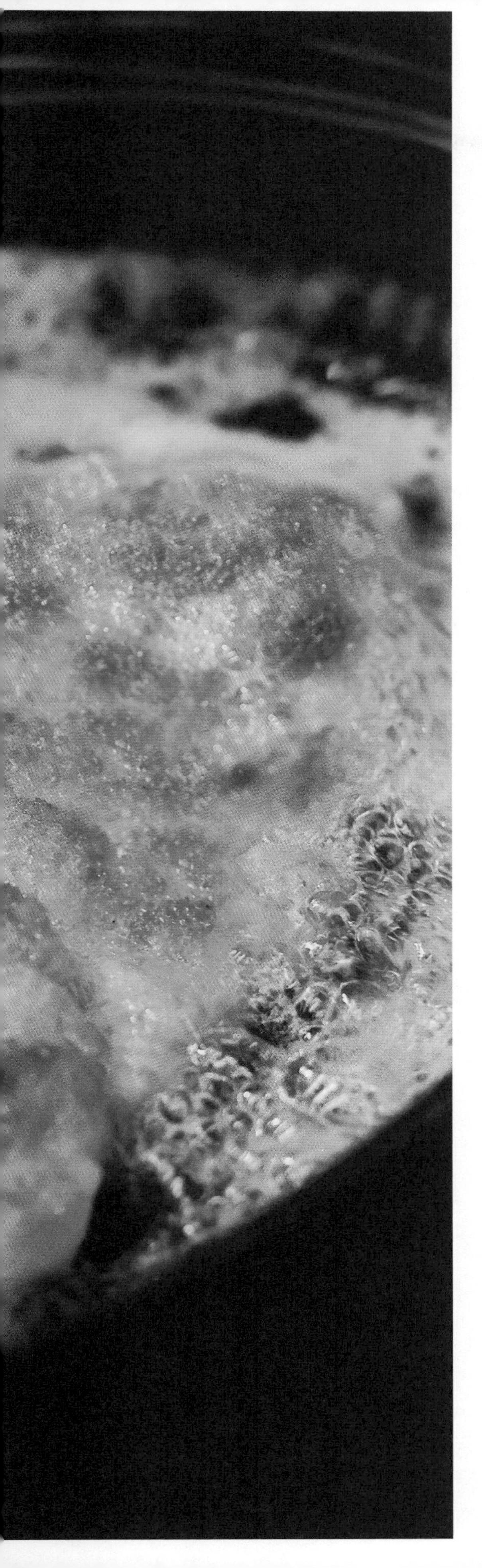

WIENER SCHNITZEL

Zutaten (für 4 Personen)

4 dünne Kalbsschnitzel (à 150 g)
2 Eier (M)
1 EL Schlagsahne
Pfeffer
6 EL Mehl (Type 405)
10 EL Semmelbrösel (besonders gut vom Bäcker, einfach mal nachfragen)
8 EL Butterschmalz
Salz

1. Den Backofen auf 50 Grad vorheizen.
2. Kalbsschnitzel zwischen Klarsichtfolie sanft flach klopfen. Eier mit Sahne verquirlen und pfeffern. Die Schnitzel in Mehl wenden, abklopfen und durch die Ei-Sahne ziehen. In den Bröseln wenden und die Panierung gut andrücken.
3. Die Schnitzel nacheinander in einer großen Pfanne in heißem Butterschmalz schwimmend bei mittlerer Hitze hellgoldbraun braten, dabei nur einmal wenden. Während des Bratens immer wieder mit Fett beschöpfen – so entstehen die schönen Wellen in der Panierung.
4. Fertig gebratene Schnitzel kurz auf Küchenpapier abtropfen lassen und erst jetzt mit Salz würzen. Auf einer Platte im Ofen warm halten. Auf diese Weise alle Schnitzel zubereiten.

Zubereitungszeit: 25 Minuten

Dazu passen der Kartoffelsalat mit Gurke und Radieschen von Seite 173 oder auch die Gurkensalatvariationen von Seite 184 oder die Salatdröhnung von Seite 171. Üblicherweise werden die Schnitzel mit einem Schnitz Zitrone serviert, sehr gut passen dazu aber auch Preiselbeeren oder die Zwiebelmarmelade von Seite 200.

MILCHREIS

Zutaten (für 4 Personen)
1 Vanilleschote
1/2 Bio-Zitrone
40 g Butter
1 l Milch
200 g Milchreis
Salz
6–8 EL Zucker

1. Die Vanilleschote halbieren. Mit einem Sparschäler einen Streifen Zitronenschale dünn abschälen und mit der Vanilleschote, der Butter und der Milch in einem Topf aufkochen.
2. Reis einrieseln lassen und mit einer Prise Salz würzen. Den Reis auf dem Herd bei milder Hitze (Stufe 1–2) unter gelegentlichem Rühren 25 bis 30 Minuten offen quellen lassen. Dann den Topf vom Herd nehmen, Zucker einrühren und kurz abkühlen lassen.
3. Vor dem Servieren Zitronenschale und Vanille entfernen und den Reis eventuell mit einem Spritzer Zitronensaft abschmecken.

Zubereitungszeit: 1 Stunde 15 Minuten

Dazu schmeckt Apfelkompott (siehe S. 282) mit Zimtzucker am allerbesten!

HACKBRATEN

Zutaten
(für 4–6 Personen)
2 kleine Zwiebeln (ca. 120 g)
1 Knoblauchzehe
1 EL Butter
1/8 l Milch
1 Brötchen
2 Eier (M)
Salz
3 dünne Stangen Lauch
800 g gemischtes Hackfleisch
Pfeffer
1 EL Majoran
1 EL Paprikapulver, edelsüß
400 g durchwachsener Speck, in dünnen Scheiben

1. Zwiebeln und Knoblauch pellen und in Scheiben schneiden. In einem Topf in der Butter glasig dünsten, mit Milch auffüllen und vom Herd ziehen. Brötchen fein würfeln und mit der Zwiebelmilch und den Eiern in der Küchenmaschine zu einem cremigen Brotbrei bzw. einer Panade mixen (sie sorgt später für einen besonders lockeren Hackbraten). Mit Salz würzen.
2. Lauchstangen putzen und auf die Länge der Backform zuschneiden. In kochendem Salzwasser 5 Minuten garen, herausnehmen und in kaltem Wasser abkühlen.
3. In einer großen Schüssel das Hackfleisch mit Salz (sparsam, der Speckmantel salzt später ebenfalls), Pfeffer, Majoran und Paprikapulver würzen, die Panade zugeben und alles zu einem glatten Teig verkneten.
4. Den Backofen auf 170 Grad vorheizen.
5. Die Backform dachziegelartig mit überlappenden Speckstreifen auskleiden. Die Hälfte der Hackmasse hineingeben und glatt streichen. Die Lauchstangen mit Küchenpapier trocknen und darüberlegen. Mit der übrigen Hackmasse bedecken, glatt streichen und die Speckstreifen über der Hackmasse schließen. Im vorgeheizten Backofen auf der mittleren Schiene 60 Minuten garen. Vor dem Anschneiden 10 Minuten ruhen lassen.

Zubereitungszeit: 1 Stunde 30 Minuten (davon 1 Stunde Garzeit)

Der Reibekuchen (auch: **Kartoffelpuffer, Rievkooche, Reiberdatschi, Dotsch**) gehört zu den bekanntesten deutschen Gerichten und ist in beinahe jedem Bundesland zu Hause. Je nach Region werden die Reibekuchen aber ganz unterschiedlich serviert: im Bergischen Land auf gebuttertem Schwarzbrot mit Rübensirup und Kaffee, in Bayern reicht man Sauerkraut (siehe S. 204) und Bier. Am meisten verbreitet ist die selig machende Kombination aus pfannenfrischen Reibekuchen mit stückigem Apfelkompott (siehe S. 282).

REIBEKUCHEN

Zutaten (für 4 Personen)
3 Zwiebeln
900 g große, vorwiegend festkochende Kartoffeln
3 Eier (M)
Salz
Pfeffer
Butterschmalz zum Braten

1. Den Backofen auf 80 Grad vorheizen.
2. Zwiebeln pellen und grob raspeln oder reiben, wahlweise mit der Küchenmaschine oder der groben Handreibe. Die Kartoffeln schälen und fein reiben. Den Kartoffelrieb in ein Tuch geben und über einer Schüssel ausdrücken – dabei das stärkehaltige Wasser auffangen.
3. Die Eier verquirlen. Den Kartoffelrieb mit Zwiebeln und Eiern mischen, mit Salz und Pfeffer würzen. Das Kartoffelabriebwasser vorsichtig abgießen und die am Boden abgesetzte Stärke unter die Kartoffelmasse mischen.
4. Reichlich Butterschmalz in einer Pfanne erhitzen, sodass der Pfannenboden bedeckt ist. Esslöffelweise von der Kartoffelmasse hineingeben, leicht flach drücken und die Reibekuchen bei mittlerer Hitze in 6 bis 8 Minuten goldbraun braten, dabei einmal wenden. Auf Küchenpapier abtropfen lassen. Schon gebratene Reibekuchen im vorgeheizten Ofen warm halten und möglichst bald servieren.

Zubereitungszeit: 25 Minuten

U
S

Fisch

FORELLE MIT BLUMENKOHL, PETERSILIENBUTTER UND MANDELBLÄTTCHEN

Zutaten (für 2 Personen)
150 g Blumenkohlröschen
2 EL Mandelblättchen
6 EL Öl
Salz
2 Forellen à ca. 290 g (küchenfertig vom Fischhändler vorbereitet)
Saft von 1/2 Zitrone
Pfeffer
6 EL Mehl
50 g Butter
1/2 Bund Petersilie

1. Den Backofen auf 80 Grad vorheizen.
2. Die Blumenkohlröschen in Scheiben schneiden. Mandelblättchen in einer großen beschichteten Pfanne ohne Fett goldbraun rösten. Herausnehmen und beiseitestellen. 2 EL Öl in die Pfanne geben und die Blumenkohlscheiben darin bei mittlerer Hitze 4 Minuten braten. Mit Salz würzen und im vorgeheizten Ofen warm stellen.
3. Die Forellen kalt abspülen, mit Küchenpapier trocken tupfen und mit Zitronensaft beträufeln. Mit Salz und Pfeffer würzen und in Mehl wenden. 4 EL Öl in der Pfanne erhitzen und die Forellen darin bei milder Hitze von jeder Seite 6 bis 8 Minuten braten.
4. Die Butter in einem Topf schmelzen. Petersilie grob hacken und zugeben. Mit Salz würzen.
5. Den Blumenkohl mit den Forellen auf vorgewärmten Tellern anrichten, mit der Petersilienbutter beträufeln und mit Mandelblättchen bestreut servieren.

Zubereitungszeit: 25 Minuten

NORDISCH BY NATURE
LACHS GEBEIZT

Zutaten
(für 4–6 Personen)
Für den Lachs:
1 Seite Lachs (ca. 1,2 kg, mit Haut)
1 EL Fenchelsaat
1/2 Bio-Zitrone
80 g Salz
120 g Zucker
4 EL Kümmelschnaps (wahlweise Aquavit oder Gin)
1 Bund Dill
Zum Anrichten:
100 g Crème fraîche
60 g Fenchelknolle
6–8 Radieschen
einige Zweige Dill

1. Am Vortag die Lachsseite unter kaltem Wasser abspülen, trocken tupfen und die Gräten mit einer Pinzette entfernen. Fenchelsamen mit fein abgeriebener Zitronenschale im Mörser zerreiben und mit Salz und Zucker mischen.
2. Lachsfleisch mit Kümmelschnaps einreiben, in eine Form legen und mit der Salz-Zucker-Mischung bedecken. Einige Zweige Dill zum Anrichten zurückbehalten. Übrigen Dill fein schneiden und auf der Lachsseite verteilen. Mit Klarsichtfolie bespannt im Kühlschrank 24 Stunden beizen lassen.
3. Am nächsten Tag den gebeizten Lachs unter kaltem Wasser abspülen und trocken tupfen. Dann mit einem langen scharfen Messer schräg von der Haut in dünne Scheiben oder Streifen schneiden.
4. Crème fraîche auf einer Anrichteplatte verstreichen und den Lachs darauf locker anrichten. Fenchel und Radieschen sehr fein hobeln und mit den Dillzweigen auf dem Lachs verteilen.
   Dazu passen Baguette oder Toast, Sahnemeerrettich oder eine schnelle Honig-Senf-Sauce – dafür einfach Senf und Honig zu gleichen Teilen verrühren und etwas fein geschnittenen Dill unterrühren.

Zubereitungszeit: 20 Minuten (plus 24 Stunden Beizzeit)

Den Lachs am besten beim Fischhändler vorbestellen, er sollte wirklich topfrisch sein! Gebeizt hält er sich im Kühlschrank 2 bis 3 Tage.

LACHS-CEVICHE Aus weniger schönen Scheiben oder Resten vom gebeizten Lachs können Sie eine schnelle Ceviche zaubern. Dafür das Lachsfleisch dünn aufgeschnitten auf Tellern verteilen und mit etwas Zitronensaft und Olivenöl beträufeln. Mit etwas Salz und Pfeffer würzen. Ein kleines Stückchen Fenchel fein hobeln und darüberstreuen. Mit einer Handvoll Himbeeren belegen und einige Zweige Brunnenkresse und gezupften Dill darauf anrichten. Mit Baguette oder Toast serviert, ist das eine schöne, leichte Vorspeise, ein sommerliches Gericht.

SAUERAMPFER, ERBSEN UND MÖHREN

Zutaten (für 2 Personen)
300 g Erbsen in der Schote (wahlweise 100 g TK-Erbsen, aufgetaut)
Salz
2 Fingermöhren
50 g Petersilie
100 g Sauerampfer
Zucker
2 Kabeljaufilets à 140–160 g (grätenfrei, küchenfertig)
3 EL Mehl (Type 405)
3 EL Öl
60 g kalte Butter
1–2 EL Sauerklee
1–2 EL Erbsensprossen

1. Die Erbsen palen (aus der Schote lösen) und in Salzwasser 3 Minuten kochen, in kaltem Wasser abschrecken. Abtropfen und beiseitestellen.
2. Möhren schälen und dann in lange Streifen schälen. Petersilie und Sauerampfer mit 80 ml Wasser und 1 TL Zucker im Mixer pürieren. Den Sud in einen Topf füllen.
3. Den Backofen auf 80 Grad vorheizen.
4. Kabeljaufilets unter kaltem Wasser abspülen, trocken tupfen und mit Salz würzen. In Mehl wenden, abklopfen und in einer Pfanne im heißen Öl bei mittlerer Hitze 6 bis 8 Minuten braten, dabei einmal wenden. Auf einer Platte im Ofen warm stellen.
5. 20 g kalte Butter in einem Topf schmelzen, die Möhren mit den Erbsen zugeben, mit Salz und einer Prise Zucker würzen und 3 Minuten unter Rühren schmoren.
6. 40 g kalte Butter in Würfel schneiden. Den Sauerampfer-Petersilien-Sud aufkochen, die Butterwürfel mit einem Schneebesen einrühren und unter Rühren schmelzen – dabei bindet die Sauce ganz leicht.
7. Die Sauce mit Salz würzen und mit dem Pürierstab schaumig aufmixen. Auf vorgewärmte Teller träufeln und Fischfilets mit Möhren und Erbsen darauf anrichten. Sauerklee und Erbsensprossen über das Gericht geben und sofort servieren.

Zubereitungszeit: 25 Minuten

Sauerampfer, Sauerklee und Erbsensprossen sind im Frühling gut erhältlich, rund ums Jahr können Sie aber saisonal mit der Kräutersauce experimentieren: Erhöhen Sie dafür den Petersilienanteil auf 100 g, und würzen Sie statt mit Sauerampfer mit Dill oder Estragon. Statt Sauerklee und Erbsensprossen können Sie auch Rucola, Kerbel oder etwas fein gezupften Friséesalat nehmen. Dazu passen Kartoffelpüree (siehe S. 213) oder Salzkartoffeln.

Muscheln in Wein

Zutaten (für 2–4 Personen)

100 g Sellerie
100 g Möhren
1 Zwiebel
50 g Lauch
1 Knoblauchzehe
1 kg Miesmuscheln
40 g Butter
2 Lorbeerblätter
300 ml Weißwein
Salz
Pfeffer
1 Bund Petersilie

1. Sellerie und Möhren schälen und in kleine Würfel schneiden. Zwiebel pellen und fein würfeln. Lauch halbieren, waschen und fein schneiden. Knoblauch pellen und in Scheiben schneiden.
2. Die Muscheln in kaltem Wasser waschen, die Schalen abbürsten und den »Bart« an den Seiten der Muscheln abziehen. Bereits geöffnete Muscheln, die sich auch auf zarten Druck nicht mehr schließen, müssen aussortiert werden.
3. Butter in einem Topf schmelzen, die Gemüse darin glasig dünsten. Lorbeerblätter zugeben, mit Wein ablöschen und einmal aufkochen. Mit Salz und Pfeffer würzen, dann 3 bis 5 Minuten offen kochen.
4. Die Petersilie hacken und mit den Muscheln unterrühren. Zugedeckt bei mittlerer Hitze 8 Minuten dämpfen.

Zubereitungszeit: 45 Minuten

Zu den Muscheln passt Knoblauchbrot – dafür einfach ein paar Scheiben Sauerteigbrot toasten, während die Muscheln garen. Das Röstbrot mit einer halbierten Knoblauchzehe abreiben und noch warm dünn mit Butter bestreichen.

RESTAURANT
HERRENFRISEUR

Eisfink
dennree
Schlag
Sahne
Exquisa

SAIBLINGSCARPACCIO MIT GURKENSCHLEIFEN UND RAUKE

Zutaten (für 4 Personen)
1/2 Bio-Gurke
Salz
Zucker
1–2 TL Weißweinessig
1 kleine Zitrone
1–2 TL Senf
6 EL Olivenöl
Pfeffer
2 Saiblingsfilets à 240 g (mit Haut, entgrätet, topfrisch)
1/2 Bund Rauke (Rucola)
1/2 rote Zwiebel

1. Die Gurke mit einem Sparschäler in lange Streifen schneiden und mit einer Prise Salz, 1 TL Zucker und Essig marinieren. Beiseitestellen.
2. Die Zitrone auspressen. Aus Zitronensaft, Senf und Olivenöl eine Marinade anrühren. Mit einer Prise Zucker, Salz und Pfeffer würzen.
3. Die Saiblingsfilets mit einem scharfen Messer schräg von der Haut in möglichst dünne Scheiben schneiden und auf einer großen Servierplatte auslegen. Die Marinade über den Fisch löffeln und 10 Minuten ziehen lassen.
4. Die Rauke waschen und trocken schleudern. Die Gurkenstreifen abtropfen und mit der Rauke auf dem marinierten Saibling anrichten. Die rote Zwiebel pellen und fein hobeln, die Zwiebelringe mit Salz würzen und auf dem Gericht verteilen. Sofort servieren.

Zubereitungszeit: 25 Minuten

SCHOLLE MIT BRATKARTOFFELN UND KRABBEN

Zutaten (für 2 Personen)
4 gekochte Kartoffeln vom Vortag
2 Frühlingszwiebeln
2 EL Öl
Salz
Pfeffer
1 Scholle (500 g, ohne Kopf, küchenfertig ausgenommen)
2 EL Mehl (Type 405)
2 EL Butterschmalz
1/2 Bund Petersilie
1 EL Butter
80 g Krabben (gegart und geschält)

1. Den Backofen auf 80 Grad vorheizen.
2. Die Kartoffeln pellen und fein würfeln, Frühlingszwiebeln putzen und in Ringe schneiden. Öl in einer beschichteten Pfanne erhitzen, die Kartoffelwürfel darin in 10 bis 12 Minuten goldbraun braten. Frühlingszwiebeln zugeben, durchschwenken und die Bratkartoffeln mit Salz und Pfeffer würzen. Auf einer Platte im Ofen warm stellen.
3. Die Scholle unter kaltem Wasser abbrausen und zwischen Küchenpapier trocken tupfen. Auf der dunklen Hautseite links und rechts der Mittelgräte einschneiden, das erleichtert später das Filetieren. Die Scholle in Mehl wenden und abklopfen.
4. Butterschmalz in einer großen beschichteten Pfanne schmelzen, Scholle hineinlegen und bei milder Hitze erst auf der dunklen Hautseite 6 bis 8 Minuten goldbraun braten, dann auf der anderen Seite 4 bis 6 Minuten braten. Mit Salz würzen, herausnehmen und auf einer vorgewärmten Platte anrichten.
5. Petersilie hacken und mit der Butter ins Bratfett geben. Aufwallen lassen, die Krabben unterrühren und mit Salz und Pfeffer würzen.
6. Bratkartoffeln über dem Fisch verteilen und mit der Krabben-Petersilien-Butter beschöpfen. Sofort servieren.

Zubereitungszeit: 45 Minuten (plus Kochzeit Kartoffeln am Vortag)

Scholle lässt sich ganz leicht entgräten: Erst isst man die beiden oberen Filets, dann die Gräte am Schwanzende lösen, abziehen und die unten liegenden Filets genießen! Dazu passen Reis oder Salzkartoffeln, ein Kartoffelpüree (siehe S. 213) oder, als leichtes Sommeressen, einfach eine Schüssel meiner Salatdröhnung (siehe S. 171).

Die Scholle, aus Nord- und Ostsee, ist ein Lieblingsfisch der Deutschen und kommt insbesondere in Hamburg, Schleswig-Holstein und den Nordfriesischen Inseln schon früh im Jahr als sogenannte Maischolle auf den Teller. Kenner bevorzugen den Plattfisch (auch Goldbutt oder Platteisen) nach einer gewissen Reifezeit: Im Sommer ist einfach mehr dran am Fisch, das Fleisch ist noch aromatischer.

HAMBURGER
BVR
für

FISCHFRIKADELLEN
AUF ERBSEN-PAPRIKA-BUTTERGEMÜSE

Zutaten
(für 4–6 Personen)
Für die Fischfrikadellen:
450 g Seelachsfilet
(küchenfertig, entgrätet)
2 Frühlingszwiebeln
4 Zweige Dill
1/2 Bio-Zitrone
1 Eigelb
8 EL Semmelbrösel
1 TL Tomatenmark
1 TL scharfer Senf
Salz
Pfeffer
5 EL Öl
Für das Erbsen-Paprika-Buttergemüse:
300 g Erbsen (frisch oder TK)
1 rote Paprikaschote
1 Zwiebel
50 g Butter
Zucker
1 TL getrockneter Estragon
Salz

1. Für die Fischfrikadellen das Seelachsfilet fein hacken. Frühlingszwiebeln längs vierteln und klein schneiden. Dill hacken, Zitronenschale fein abreiben.
2. Alles in einer Schüssel mit Eigelb, 2 EL Semmelbröseln, Tomatenmark und Senf verkneten, mit Salz und Pfeffer würzen. Aus der Masse 6 Frikadellen formen und in den übrigen Semmelbröseln wälzen.
3. Öl in einer beschichteten Pfanne erhitzen, die Frikadellen darin bei milder Hitze 5 Minuten braten. Wenden und nochmals 4 bis 5 Minuten braten.
4. Für das Erbsen-Paprika-Buttergemüse die Erbsen putzen oder in lauwarmem Wasser auftauen lassen. Paprika vierteln, entkernen und fein würfeln. Die Zwiebel pellen und ebenfalls fein würfeln.
5. Butter in einem Topf schmelzen, Zwiebelwürfel darin glasig dünsten. Paprikawürfel, Erbsen und eine Prise Zucker zugeben. Mit Estragon und Salz würzen und bei milder Hitze 5 Minuten dünsten.

Zubereitungszeit: 35 Minuten

ZANDER AUF RAHMSPINAT MIT KARTOFFELCREME

Zutaten
(für 4 Personen)
Für die Kartoffelcreme:
250 g mehlig kochende Kartoffeln
Salz
100 ml Milch
100 g Schlagsahne

Für den Rahmspinat:
1 kg Blattspinat
Salz
150 g Schalotten
1 EL Butter
150 g Schlagsahne
Muskatnuss

Für den Zander:
2 EL Rapsöl
4 Zanderfilets à 120 g (küchenfertig, ohne Haut und Gräten)
Salz
Pfeffer
2 TL Butter

1 Für die Kartoffelcreme die Kartoffeln mit Schale in Salzwasser weich kochen; das dauert je nach Größe 20 bis 25 Minuten. Dann abgießen und ausdampfen lassen. Die Kartoffeln erst kurz vor dem Servieren pellen und zweimal durch eine Kartoffelpresse drücken. Die Milch erhitzen und in einem Topf mit dem Kartoffelschnee cremig rühren. Die Sahne leicht anschlagen und unter das heiße Püree geben. Mit Salz würzen.

2 Für den Rahmspinat den Spinat in lauwarmem Wasser gründlich waschen. Stiele entfernen und nochmals waschen. Spinat in kochendem Salzwasser zusammenfallen lassen und in kaltem Wasser abkühlen. Dann trocken ausdrücken und fein hacken.

3 Die Schalotten pellen, fein würfeln und in Butter glasig dünsten. Spinat zugeben und mit der Sahne ablöschen. 4 bis 6 Minuten dicklich einkochen, dann den Spinat mit dem Pürierstab ganz leicht anpürieren. Mit Salz und einer Prise frisch geriebener Muskatnuss würzen und warm stellen.

4 Für den Zander Rapsöl in einer Pfanne erhitzen und die Fischfilets darin auf der einen Seite 2 bis 3 Minuten braten. Mit Salz und Pfeffer würzen, Filets wenden, die Butter zugeben und nochmals 2 bis 3 Minuten braten.

5 Die Fischfilets auf vorgewärmten Tellern mit der heiß gerührten Kartoffelcreme und dem Rahmspinat anrichten. Wer mag, kann den Fisch noch mit der Bratbutter beträufeln. Sofort servieren.

Zubereitungszeit: 45 Minuten

FISCHZÜCHTER
IN DRITTER
GENERATION,
JOSEF MÄRZ

FLÜSSE, TEICHE, MEER UND SEEN –

WO FISCHERS FRITZ DIE FRISCHESTEN FISCHE FISCHT

So richtig verstehe ich Josef März nicht. Also zumindest nicht jedes Wort, das er sagt, denn Josef März spricht bayerisch. Aber so richtig. Da sind mir als Nordlicht Grenzen gesetzt. Ich verstehe aber auch ohne Worte, dass wir hier in einem Paradies gelandet sind: Saftiger Mischwald in sattem Grün umrahmt die gemütliche Fischzucht im kühlen Tal bei Hohendilching/Valley im Ortsteil Anderlmühle. Dicke Katzen dösen in der Nachmittagssonne, hinterm Holzhaus plätschert friedlich die Mangfall, ein Nebenfluss des Inns. »Da kannst draus trinken!«, sagt der Fischer. Nur der Flutschutzdeich, den Josef März selbst gebaut hat, verrät die Kraft, die der Fluss entwickeln kann. »Dreimal sind wir abgesoffen«, erzählt uns der Fischzüchter. Haus und Hof geflutet und auch die Zuchtbecken auf der Waldseite des Hauses, der Laich, die Fische – alles weggeschwemmt in Minuten.

Doch Josef März ist schon zu lange hier, um sich von einem Hochwasser beeindrucken zu lassen. Seit drei Generationen ist die Bio-Fischzucht in Familienbesitz und bekannt für taufrische Forellen und Saiblinge, die während der Sommermonate auch im Gastgarten serviert werden: gegrillt oder hausgeräuchert, mit Brot und Bier. Der Hofladen

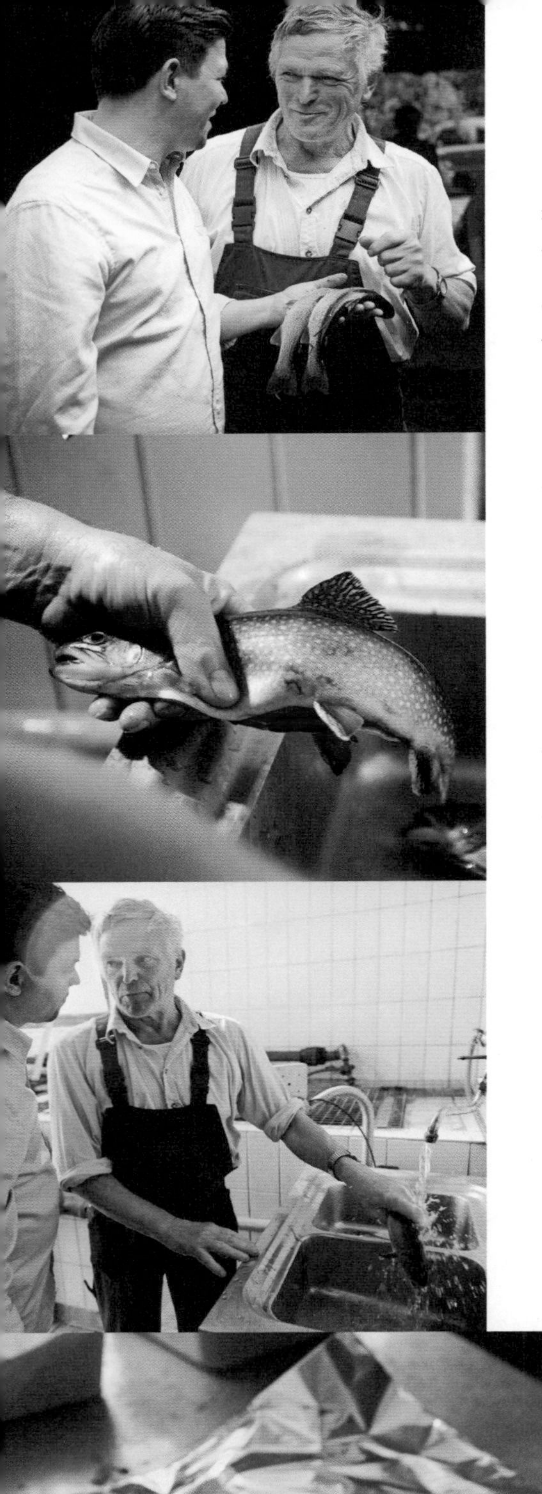

hat das ganze Jahr geöffnet, nur montags macht der Fischer Pause.

»Die würzen wir jetzt mit meiner geheimen Würzmischung, da sind 17 Zutaten drin, seit über 30 Jahren unveränderte Rezeptur!«, sagt Josef März stolz, als er die glänzenden Forellen auf den Tisch legt, die wir eben gefangen haben. »Die Mischung hat noch keiner erraten!« Ich nehme die Herausforderung an, stippe den Finger ins Gewürz. Also ... Senfsaat, Kümmel, Pfeffer ...

Josef März ist Fischwirt, das ist in Deutschland ein Ausbildungsberuf, und der Berufszweig wächst, insbesondere im Bereich der Zucht, mit der Nachfrage nach Fisch aus heimischen Gewässern. Ein Beruf mit Tradition: Neben Landwirtschaft und Bergbau war die Fischerei immer schon ein wichtiger Wirtschaftszweig in Deutschland.

SAISONALE FISCHSPEZIALITÄTEN WIE DER ELBSTINT ERFREUEN SICH GRÖSSTER BELIEBTHEIT.

Von der Forellenzucht aus biologischer Aquakultur bis zur Hochseefischerei mit Steinbutt, Seezunge und Scholle reicht das Angebot an Fisch. Und in Flüssen und Teichwirtschaften finden sich Bachforellen, Saiblinge, Aale, Hechte und Zander. Regionale wie Renke, Felchen und Egli sind nicht nur in den großen Süßgewässern wie dem Chiemsee oder dem Bodensee zu Hause. Saisonale Fischspezialitäten wie der Elbstint oder der Spiegelkarpfen erfreuen sich größter Beliebtheit.

Überall im Land finden sich Fischer und Fischzüchter, die auf kurzen Wegen regionalen Fang- oder Zuchtfisch anbieten, oft auch auf Wochenmärkten, und ganz bestimmt wird man bei der regionalen Internetre-

cherche fündig – frischen Fisch gibt es in Deutschland an vielen Ecken. Und so manche Besonderheit schenkt das Meer uns auch: Vor Helgolands Klippen ist der Taschenkrebs zu Hause. Die rotbraunen Krabbentiere gedeihen hier fleischiger und geschmackvoller als im Atlantik und dem Mittelmeer, das eiskalte und nährstoffreiche Wasser des Helgoländer Felsenwatts bietet optimalen Lebensraum.

VOR LIST AUF SYLT LIEGT DEUTSCHLANDS EINZIGE AUSTERNZUCHT.

Und mitten im ländlichen Niedersachsen steht Deutschlands erste Garnelenzucht auf einem Acker. Hier bietet Familie Schäfer ihre White-Tiger-Garnelen aus heimischer Produktion an. Die besten Köche Deutschlands sind begeistert von der einzigartigen Qualität.

Sogar Austern gibt es in Deutschland, und zwar welche, die qualitativ mühelos mit den berühmten französischen Austern mithalten können. Vor List auf Sylt liegt Deutschlands einzige Austernzucht, und die Sylter Royal ist eine ganz und gar einzigartige Auster. Seit 1986 züchtet man bei Dittmeyer's Austern-Compagnie die Pazifische Felsenauster auf Austernbänken im Wattenmeer. Auch hier sorgen Kälte und Wasserqualität für ein Top-Produkt: Etwa 80 Gramm schwer wird die Sylter Royal, schmeckt gurkig-nussig, und Betriebsleiter Christoffer Bohlig rät, die Meeresfrüchte gut zu kauen, nicht einfach wie leider üblich nur zu schlürfen und zu schlucken, denn erst dann entfaltet die Auster ihr ganzes Aroma.

In Josef März' »Fischhütt'n« gibt's gleich Essen, und ich zähle nochmal durch: … Wacholder, Knoblauch, Lorbeer – 17! Das Geheimnis der Gewürzmischung ist gelüftet, der Fischer staunt, und wir vereinbaren Stillschweigen.

10 Stunden marinieren die Forellen, gehen dann bei 80 Grad für 1,5 Stunden in den Buchen-Fichten-Rauch des hofeigenen Räucherofens. Heute legt Josef die Fische für uns aber in Folie gewickelt direkt auf den Grill, es duftet augenblicklich köstlich. Die Frauen tragen Tracht und geben ein spontanes Konzert auf dem diatonischen Akkordeon, Bier wird eingeschenkt und höllisch scharfer Schnaps, Prost, auf dich, Josef!

Dann reden wir nicht mehr, genießen schweigend den butterzarten, würzigen Fisch. Auf dem Rückweg sehen wir auf einer Lichtung berittene Kamele durch den dichten Wald ziehen. Hui! Zu viel Schnaps? Nein. Eine Kamelreitschule. Im bayerischen Mischwald. Auch das ist Deutschland.

MATJES NACH HAUSFRAUENART

Zutaten (für 4 Personen)
8 Matjesfilets
Saft von 1 Zitrone
150 g Crème fraîche (wahlweise Sauerrahm oder cremiger Joghurt)
Salz
Pfeffer
2–3 eingelegte Gewürzgurken (aus dem Glas)
1 kleine rote Zwiebel
1 kleiner Apfel

1. Matjesfilets unter kaltem Wasser abspülen und mit Küchenpapier trocken tupfen. Filets auf einer Platte oder auf Tellern anrichten.
2. Zitronensaft mit Crème fraîche und 2 EL Gewürzgurkenwasser glatt rühren. Mit Salz und Pfeffer würzen.
3. Die Gurken in Scheiben schneiden. Zwiebel pellen und fein würfeln. Apfel achteln, entkernen und die Spalten in feine Blättchen schneiden. Alles mit der Sauce mischen und über den Fischfilets verteilen.

Zubereitungszeit: 15 Minuten

RAUCHMATJES MIT SELLERIESALAT

Zutaten (für 4 Personen)
1/2 Sellerieknolle
2–3 EL Zitronensaft
50 g Staudensellerie
2 Frühlingszwiebeln
2 EL Haselnussblättchen (wahlweise Walnüsse, gehackt)
2–3 EL Walnussöl
einige Zweige Petersilie
Salz
Pfeffer
8 Rauchmatjesfilets

1. **Sellerie schälen und mit einem Apfelausstecher lange, runde Rollen aus der ganzen Knolle ausstechen. Die Rollen in feine Scheiben schneiden und mit Zitronensaft mischen.**
2. **Staudensellerie und Frühlingszwiebeln putzen, in feine Scheiben schneiden und untermengen. Haselnussblättchen mit dem Walnussöl dazugeben, Petersilie hacken und ebenfalls zufügen. Salat mit Salz und Pfeffer würzen und mit dem Rauchmatjes auf einer Platte oder auf Tellern anrichten.**

Zubereitungszeit: 15 Minuten

AAL- UND FISCHRÄUCHEREI
FRIEDRICH FÖH IN KAPPELN

AAL MIT APRIKOSEN UND MÖHRENPÜREE

Zutaten
(für 2–4 Personen)
1 Aal (250–300 g), küchenfertig, mit Haut und Mittelgräte
60 g Butter
80 g Lauch
400 g Karotten
400 ml Gemüsebrühe
8 getrocknete Aprikosen
8 Walnusskerne
1–2 EL Zitronensaft
2–3 EL Olivenöl
einige Halme Schnittlauch
Salz
150 g Crème fraîche

1. Die Aalhaut und die Mittelgräte stückig schneiden und in einem Topf in 20 g Butter bei milder Hitze andünsten. Lauch halbieren, waschen, klein schneiden und unterrühren. Mit Wasser bedecken, aufkochen und offen auf 4 bis 5 Esslöffel einkochen.
2. Karotten schälen, in Scheiben schneiden und mit Brühe bedeckt offen kochen, bis die Brühe fast verschwunden ist.
3. Inzwischen Aprikosen und Walnusskerne in feine Scheiben schneiden, mit Zitronensaft und Olivenöl vermischen. Schnittlauch in Röllchen schneiden und untermengen. Mit Salz würzen.
4. Karottengemüse salzen und im Mixer mit 40 g Butter pürieren. Warm stellen.
5. Aal-Fond durch ein Sieb passieren und aufkochen. Aalfilets in insgesamt 6 Stücke schneiden und rund 5 Minuten im Aal-Fond warm ziehen lassen.
6. Aus dem Möhrenpüree mit Löffeln Nocken formen und auf vorgewärmten Tellern anrichten. Aal aus dem Fond heben und mit Aprikosen-Walnuss-Salat neben den Nocken anrichten.
7. Aal-Fond nochmals auf nunmehr 2 Esslöffel einkochen, die Crème fraîche unterrühren, mit Salz würzen und mit dem Pürierstab schaumig pürieren. Über den Aal träufeln und sofort servieren.

Zubereitungszeit: 35 Minuten

Den Aal bestellen Sie am besten beim Fischhändler vor, er häutet und filetiert ihn sicher auch für Sie. Lassen Sie sich Mittelgräte und Aalhaut aber unbedingt mitgeben. Die brauchen Sie für den Fond.

RÜHREI MIT SPROTTEN

Zutaten (für 4 Personen)
20 Kieler Sprotten
2 Scheiben Pumpernickel-Brot (wahlweise 6 Pumpernickel-Taler)
40 g Butter
Salz
1 TL Honig
8 Eier
4 EL Schlagsahne
Salz

1. **Den Backofen auf 50 Grad vorheizen.**
2. **Die Kieler Sprotten auf ein Blech mit Backpapier legen und im vorgeheizten Ofen erwärmen.**
3. **Pumpernickel fein zerbröseln und in einer Pfanne in 20 g schäumender Butter unter Rühren knusprig braten. Mit Salz würzen, Honig unterrühren und auf einem Teller im Ofen warm stellen.**
4. **Eier mit Schlagsahne und einer Prise Salz so verquirlen, dass weiße und gelbe Schlieren noch gut zu erkennen sind. 20 g Butter in einer Pfanne schmelzen, Rühreimasse hineingeben und stocken lassen; das Ei dabei immer wieder zusammenschieben, nicht rühren.**
5. **Das Rührei mit den warmen Sprotten auf vorgewärmten Tellern anrichten und mit den Pumpernickel-Bröseln bestreut servieren.**

Zubereitungszeit: 15 Minuten

Kieler Sprotten heißen die kleinen, in Nord- und Ostsee schwärmenden Heringe, die im Räucherofen über Buchenholz und Erle ihre goldene Farbe bekommen und typischerweise in kleinen Holzkästchen verkauft werden. Kopf und Schwanz können, müssen aber nicht mitverzehrt werden, die eher knusprige Mittelgräte wird aber üblicherweise mitgegessen.

Pumpernickel ist ein dunkel-schwarzes, sehr würziges und feinsäuerliches Vollkornbrot aus Roggenmehl und Sauerteig. Es gart bis zu 24 Stunden, mindestens aber 16 Stunden wird es bei milden Temperaturen unter Wasserdampf gebacken. Das Brot wird vorgeschnitten in Scheiben oder als Pumpernickel-Taler angeboten und ist originalverpackt sehr lange haltbar.

Eigentlich müsste das Rührei in meiner Version »Schieb-Ei« heißen, denn ich rühre nicht, ich schiebe. Dabei bleibt das Ei saftiger und legt sich in elegante Falten. Das sieht nicht nur besser aus, es schmeckt auch besser als das herkömmliche, bröselig gebratene »Rühr-Ei«.

TOMATEN-BOHNEN-SALAT MIT RÖSTBROT UND SAIBLING

Zutaten (für 4 Personen)
500 g Schnippelbohnen
Salz
100 ml Gemüsebrühe
3–4 EL Weißweinessig
Pfeffer
3–4 EL Rapsöl
1 weiße Zwiebel
300 g Kirschtomaten
4 dicke Scheiben Brot (z.B Bauernbrot, Baguette)
300 g Räuchersaiblingsfilet (wahlweise Räucherforellenfilet)
2–4 Zweige Basilikum

1. **Schnippelbohnen putzen, schräg in Rauten schneiden und in Salzwasser ca. 7 Minuten garen.**
2. **Die Brühe mit Essig auf die Hälfte der Flüssigkeitsmenge einkochen. Öl zugeben und mit Salz und Pfeffer würzen. Zwiebel pellen, fein würfeln und unterrühren.**
3. **Die Bohnenrauten abgießen und mit kaltem Wasser abschrecken. Kirschtomaten halbieren und mit den abgetropften Bohnen mischen. Auf einer Platte oder in einer breiten Schüssel anrichten.**
4. **Das Brot in einer Pfanne oder unter dem Grill des Backofens rösten. Saiblingsfilet mundgerecht rupfen. Das Brot noch warm in Stücke brechen und mit dem Fisch unter den Bohnensalat mengen.**
5. **Basilikumblätter abzupfen und untermengen. Den Salat mit der Brühe beträufeln und servieren.**

Zubereitungszeit: 30 Minuten

Saibling und Forelle aus Wildfang oder heimischer Aufzucht gibt es überall im Land. Die Süßwasserfische haben ein zartes, aromatisches Fleisch. In Butter oder Öl gebraten oder leicht geräuchert, sind sie ein echtes Festessen. Und die Meere werden auch geschont!

FLEISCH

LAMMSCHULTER IN BUTTERMILCH MIT MÖHREN-SCHALOTTEN-STAMPF

Zutaten (für 4 Personen)
1,4 kg Lammschulter (vom Metzger küchenfertig vorbereitet, mit Knochen, aber ohne Sehnen)
5 dicke Möhren
3 Schalotten
2 Lorbeerblätter
1/2 Zimtstange
4 Zweige Rosmarin
Salz
Pfeffer
500 ml Buttermilch

1. **Den Backofen auf 160 Grad vorheizen.**
2. **Die Lammschulter in einen Bräter setzen. Möhren schälen, Schalotten pellen und mit den Lorbeerblättern, der Zimtstange und den Rosmarinzweigen zum Lamm geben. Mit Salz und Pfeffer würzen und mit Buttermilch begießen.**
3. **Im heißen Ofen auf der zweiten Schiene von unten 90 Minuten garen. Den Ofen ausschalten und das Lamm 30 Minuten im ausgeschalteten Ofen ruhen lassen.**
4. **Kräuter und Zimtstange entfernen. Gemüse mit der Bratflüssigkeit in eine Schüssel geben und mit einer Gabel zu einem groben Stampf zerdrücken.**
5. **Die Lammschulter auf ein Schneidbrett legen und die Knochen aus dem Fleisch lösen. Das Fleisch in Scheiben schneiden und mit dem Stampf servieren.**

Zubereitungszeit: 2 Stunden 30 Minuten (davon 2 Stunden Garzeit)

»ICH SAG JA SOWIESO IMMER, KEINE ANGST VOR GROSSEN FLEISCHTEILEN! UND EINFACHER GEHT'S WIRKLICH NICHT: ALLES REIN IN DEN OFEN, ZWEI STUNDEN WARTEN, UND DIE BEILAGE SCHMORT AUCH SCHON MIT. FERTIG! EIN LIEBLINGSREZEPT AUS MEINER KINDHEIT.«

GRÜNKOHL

Zutaten (für 6 Personen)
500 g geräucherte Schweinebacke
400 g magerer Bauchspeck am Stück
2 Lorbeerblätter
1 Beutel Grünkohl (à 1 kg)
Salz
4 große Zwiebeln
100 g Schweine- oder Gänseschmalz
Zucker
1 kg kleine festkochende Kartoffeln
1 große mehlig kochende Kartoffel (ca. 200 g)
6–12 Kochwürste
Öl
scharfer Senf

1 Schweinebacke, Bauchspeck und Lorbeerblätter in 1,5 l Wasser zugedeckt 45 Minuten garen.
2 Währenddessen Grünkohl portionsweise in lauwarmem Wasser gründlich waschen, grobe Strünke entfernen, Blattwerk mundgerecht zupfen. In kochendem Salzwasser kurz aufkochen, herausnehmen und in kaltem Wasser abschrecken. Kohl trocken ausdrücken.
3 Zwiebeln pellen, würfeln und in einem großen Topf im heißen Schmalz farblos andünsten. Die Hälfte des Kohls zugeben, mit Salz und 2 EL Zucker würzen. Schweinebacke aus dem Kochsud heben und obenaufsetzen, übrigen Kohl dazugeben, salzen. Bauchspeck zufügen und mit Kochsud auffüllen. Zugedeckt 40 Minuten bei mittlerer Hitze garen. Deckel abnehmen und weitere 40 Minuten offen kochen.
4 Unterdessen festkochende Kartoffeln (nicht die mehlig kochenden) waschen und in Salzwasser bissfest garen – das dauert je nach Größe 20 bis 30 Minuten. Dann kalt abschrecken, auskühlen lassen und pellen.
5 Backe und Bauch aus dem Grünkohl nehmen und zugedeckt warm stellen. Die große Kartoffel schälen, roh fein reiben und unter den Grünkohl rühren. 10 Minuten zugedeckt kochen (dabei bindet die Kartoffel den Grünkohl ganz leicht). Würste untermengen und 15 Minuten zugedeckt garen.
6 Währenddessen die gepellten Kartoffeln in heißem Öl rundum braun braten, mit 1 EL Zucker bestreuen und weiterbraten, bis sie glänzend karamellisieren. Leicht salzen. Backe und Bauch in Scheiben schneiden und mit Grünkohl, Würsten und Senf servieren.

Zubereitungszeit: 2 Stunden 45 Minuten (davon 2 Stunden 30 Minuten Garzeit)

Lässt sich prima einfrieren und schmeckt aufgewärmt noch besser!

Grünkohl ist ein norddeutscher Klassiker und schmeckt am besten nach der ersten Frostnacht. Zum Grünkohl gibt es Brat- oder Salzkartoffeln und scharfen Senf, in Schleswig-Holstein gern die kleinen, goldbraun karamellisierten Bratkartoffeln. Dazu passen Speck, Backe, Bauch und regionale Wurstspezialitäten – in Nordwestdeutschland wird gerne Pinkel gereicht, eine dicke, grobe Wurst mit Speck, Hafer- oder Gerstengrütze. In Schleswig-Holstein, Friesland und Bremen serviert man rustikale Koch- oder Kohlwürste, in Niedersachsen und Sachsen-Anhalt die beliebte Bregenwurst.

Angrillen. Wettgrillen. Wintergrillen. Die Deutschen lieben es. Früher wurde nur im Sommer gezündelt, mittlerweile glüht der Rost vielerorts rund ums Jahr. Lieblingsbeilage zu Wurst und Steak: Bier!

KALBSRAGOUT MIT MORCHELN

Zutaten (für 4 Personen)
1,4 kg Kalbsschulter
4 Zwiebeln
1 Knoblauchzehe
4 EL Öl
200 ml weißer Portwein
1 l Kalbsfond (wahlweise Rinderbrühe)
500 g Kohlrabi
50 g Morcheln
2 TL Tomatenmark
50 g Butter
Salz
Zucker
100 g Schlagsahne
2–3 Zweige Estragon (wahlweise 1/2 TL Estragon, gerebelt)
Pfeffer
einige Zweige Petersilie

1. Das Fleisch von Sehnen befreien und in 3 bis 4 cm große Würfel schneiden (etwas kleiner als die üblichen Gulaschwürfel). Zwiebeln pellen und würfeln, Knoblauch pellen und in feine Scheiben schneiden. Das Fleisch im heißen Öl goldbraun braten. Zwiebeln und Knoblauch zugeben und ebenfalls hellbraun anbraten. Mit Portwein ablöschen und 2 Minuten offen kochen. Kalbsfond zugeben und zugedeckt bei mittlerer Hitze 1 Stunde und 40 Minuten garen.
2. Währenddessen Kohlrabi schälen und in Spalten schneiden. Für eine besonders schöne Form, passend zu diesem feinen Gericht, tournieren: Die Schale mit einem Messer rund abschneiden und in die geraden Seiten der Spalten eine runde Vertiefung schnitzen. Die Morcheln in warmem Wasser gründlich waschen, bis sich jeglicher Sand gelöst hat, dabei das Wasser mehrfach auswechseln. Morcheln 5 Minuten in kochendem Wasser garen und in kaltem Wasser abkühlen.
3. Das Fleisch aus dem Fond nehmen, den Fond mit Tomatenmark verrühren und offen 15 Minuten einkochen. Inzwischen die Kohlrabi in einem kleinen Stieltopf in der heißen Butter mit Salz und einer Prise Zucker glasig dünsten. 100 ml Wasser angießen und die Kohlrabi darin 6 bis 8 Minuten bissfest garen.
4. Die Sahne mit dem Estragon zum eingekochten Fond geben. Aufkochen und mit dem Pürierstab fein pürieren. Das Fleisch zugeben und offen 2 bis 3 Minuten leicht einkochen (wer mag, kann das Ragout mit etwas in wenig kaltem Wasser aufgelöster Speisestärke binden). Mit Salz und Pfeffer würzen.
5. Die Petersilie hacken, mit den Morcheln unter die Kohlrabi mischen und 1 Minute mitdünsten. Das Ragout mit Morcheln und Kohlrabi servieren.

Zubereitungszeit: 2 Stunden 15 Minuten (davon 1 Stunde 40 Minuten Garzeit)

Dazu passen Bandnudeln, Salzkartoffeln, Kartoffelpüree (siehe S. 213) oder Rösti (S. 75). Statt frischer Morcheln können Sie auch 15 bis 20 g getrocknete Morcheln verwenden.

REH MIT MANDEL-MARZIPAN-KRUSTE UND KIRSCHEN

Zutaten (für 4 Personen)
50 g Marzipanrohmasse
40 g gemahlene Mandeln
100 g Butter
1 Zweig Thymian
Salz
Pfeffer
200 g Süßkirschen
2 x 300 g Reh-Oberschale am Stück, küchenfertig pariert
3 EL Öl
20 g Butter
50 ml roter Portwein
1 EL rotes Johannisbeergelee

1. Für die Kruste das Marzipan mit den Mandeln und der Butter zu einer glatten Masse verkneten. Thymian hacken und dazugeben, mit Salz und Pfeffer würzen. Die Kirschen entsteinen.
2. Den Backofen auf 140 Grad vorheizen.
3. Die Fleischstücke in einer ofenfesten Pfanne im heißen Öl von jeder Seite 2 Minuten scharf anbraten. Mit Salz und Pfeffer würzen. Die Marzipanmasse gleichmäßig auf das Fleisch auftragen und andrücken. Mit der Pfanne in den heißen Ofen schieben und 20 Minuten garen.
4. Inzwischen die Kirschen in einer zweiten Pfanne in der Butter andünsten, mit Portwein ablöschen und aufkochen. Das Johannisbeergelee unterrühren und offen dicklich einkochen lassen.
5. Den Grill im Ofen einschalten (Stufe 3) und die Marzipankruste leicht andunkeln (am besten daneben stehen bleiben, das geht schnell). Das Fleisch in dicke Tranchen (Scheiben) schneiden und auf den Kirschen anrichten.

Zubereitungszeit: 40 Minuten

SELLERIEPÜREE 700 g Sellerie schälen, würfeln und in Salzwasser mit dem Saft von 1/2 Zitrone in 15 Minuten weich kochen. Abgießen, abtropfen lassen und noch heiß im Mixer mit 50 g Schlagsahne und 2 EL Butter cremig pürieren. Mit Salz und Pfeffer würzen.

KARL LUDWIG SCHWEISFURTH
GILT ALS BIOPIONIER

FLEISCH UND GLÜCKLICHE SCHWEINE

Deutschland ist berühmt für seine Fleisch- und Wurstküche: Große Braten, saftige Schnitzel und vor allem eine schier unerschöpfliche Vielfalt an Schinken und Würsten prägen die deutsche Küchenkultur seit den Wirtschaftswunderjahren.

Schon zum Frühstück locken Kochschinken, Leberwürste, grobe Mettwürste, Aufschnitt und feine Teewurst, und im Süden beginnt der Tag gerne mit der bayerischen Weißwurst, die traditionell bereits vor dem Mittagsläuten als zweites Frühstück aus der Pelle gezuzelt sein will. Oder einer dampfenden Scheibe vom ofenwarmen Leberkäse, der, mit Senf im Brötchen gereicht, durchaus als schwäbische Version des Burgers durchgeht. In Franken verkauft man »Drei im Weggla«: Die von der Europäischen Union unter Artenschutz gestellten Nürnberger Rostbratwürstchen kommen frisch vom Feuerrost aufs Brötchen oder schwimmen als bleiche, aber köstliche Brühwurst-Variante namens »Blaue Zipfel« im duftenden Wurzelsud. Weltberühmt sind auch die Thüringer Bratwürste mit Majoran sowie Frankfurter Würstchen und Bockwurst zur Erbsensuppe oder »Saitewürschtle« zu Linsen mit Spätzle, Letzteres das Nationalgericht der Schwaben. Zu Grünkohl und Kasseler reicht man Grützwürste, deftige mit Graupen angereicherte Kochwürste und Mettenden, geräucherte Pinkel, Bremer Knip, Mecklenburger Grützwurst, Blut- und Leberwürste.

Geschätzt über 1500 Wurstspezialitäten gibt es in Deutschland, und die schmecken nur dann richtig gut, wenn das Fleisch von bester Herkunft ist: Fleisch

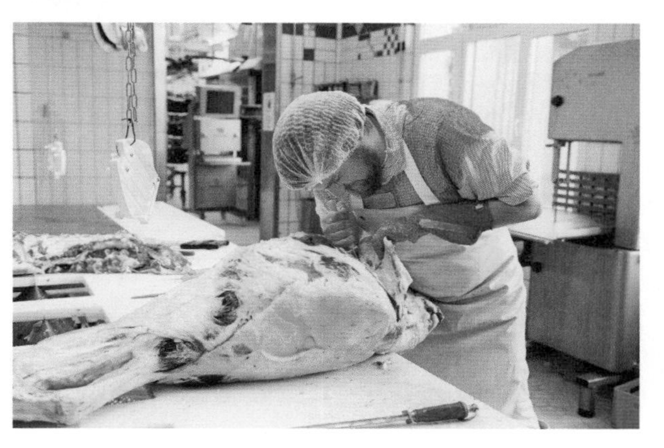

von Tieren, die bestes Futter, Auslauf, artgerechte Behandlung und eine stressfreie Schlachtung erfuhren.

Von Fleischskandalen erschüttert, wollen immer mehr Menschen wissen, woher ihr Fleisch kommt, essen lieber weniger, dafür dann aber gutes Fleisch aus nachhaltiger Aufzucht.

HIER BEI MÜNCHEN ENTWICKELTE ER SEIN KONZEPT DER SYMBIOTISCHEN LANDWIRTSCHAFT.

Der Mann, der uns in gemütlicher Cordhose und einem weiten Leinensakko auf dem Hof der Herrmannsdorfer Landwerkstätten begrüßt, war mal der größte Fleischproduzent Europas, in einem anderen Leben, in den 80er Jahren. 5500 Mitarbeiter, zehn Fleischfabriken, Tiere ein Produkt, Gewinnmaximierung das Ziel. Der freundliche Herr mit dem blau-rot gestreiften Schal trägt einen Schlapphut, an dessen Seite ein kleiner Kotelett-Sticker befestigt ist. Karl Ludwig Schweisfurth liebt Fleisch. Und er liebt Tiere. Damals hätte er das fast vergessen. Es waren seine Söhne, die das Erbe der Nachfolge ausschlugen und ihm ins Gewissen redeten. »Das öffnete mir die Augen. Und irgendwann habe ich mich selbst gefragt, was machst du da?«

Der gelernte Metzger verkaufte die Herta Artland Dörfler GmbH 1985 und fing, in der Mitte eines erfolgreichen Lebens, nochmal ganz von vorn an. Er gründete eine Stiftung und baute die Herrmannsdorfer Landwerkstätten auf, mit dem Ziel, Lebensmittel in höchster Qualität so zu erzeugen, »dass weder Mensch noch Tier leiden«.

Heute gilt der 84-jährige Schweisfurth als Biopionier, auf seinem Hof in Glonn bei München entwickelte er sein Konzept der symbiotischen Landwirtschaft, in der Mensch, Tier und Natur voneinander profitieren. Schweine galoppieren sprichwörtlich durch saftige Wiesen mit seltenen Pflanzen, alte Hühnerrassen picken Körner und Würmer, und einem schönen Leben auf dem Hof und in der Natur folgt die respektvolle Schlachtung der Tiere, ohne Stress, beinahe unbemerkt, achtsam.

Alte Schweinerassen erleben eine Renaissance in Deutschland, wie beispielsweise das Schwäbisch-Hällische Landschwein, das Angler Sattelschwein, das Bentheimer Landschwein oder das Rotbunte Husumer Protestschwein, das einst von den in

Friesland lebenden Dänen gezüchtet wurde, um das von Preußen erlassene Flaggverbot der rot-weißen dänischen Staatsflagge vor dem Haus zu umgehen. Auch alte Rinderrassen kehren zurück, so kümmert sich die Bäuerliche Erzeugergemeinschaft Schwäbisch Hall in der Region Hohenlohe um die Züchtung des Weiderinds boeuf de Hohenlohe.

HIER HÄNGT DER HIMMEL IM KELLER VOLLER SCHINKEN.

Wer sich interessiert umsieht, findet überall im Land Bio-Fleisch-Erzeuger und Metzger, die Tradition und Handwerk pflegen und wissen, dass bestes Fleisch die Basis ist. Auch für die berühmten Schinken aus Deutschland, allen voran der Schwarzwälder Schinken, gepökelt und mit Tannen- und Fichtenholz kalt geräuchert. Eine Spezialität aus dem Norden ist der Holsteiner Katenschinken, wahlweise hauchdünn aufgeschnitten oder in kräftigen Scheiben und gepfeffert als »Beilage« zu Butterkartoffeln und Spargel serviert. Seit über 1000 Jahren wird in Westfalen schon Schinken hergestellt, der am Knochen reift. Aus Niedersachsen kommt der Ammerländer Schinken, der mit Wacholder und Piment gewürzt ist und bis zu zwei Jahre reift.

Auch in den Herrmannsdorfer Landwerkstätten hängt der Himmel im Keller voller Schinken. Sanft, beinahe zärtlich streicht Schweisfurth über eine goldglänzende Keule, einen freudigen Stolz in den Augen. Schweisfurth ist angekommen und verwirklicht jeden Tag seine Vision von ökologischer Landwirtschaft, gemeinsam mit rund 200 Mitarbeitern und angeschlossenen Landwirten. Größer will er nicht mehr werden, »nur noch besser«, sagt er. Sein Wissen gibt er gerne weiter, berät interessierte Projekte in der Landwirtschaft.

Eines dieser Leuchtturm-Projekte ist der LandWert Hof in Stahlbrode bei Stralsund, mit Blick auf die Insel Rügen. Auch hier setzt man auf ökologische Freilandhaltung, eigene Gärten, Metzgerei und Hofküche, für die Kleinsten gibt es einen Schulbauernhof.

Karl Ludwig Schweisfurth will auch seine Kunden für das Thema Lebensmittel sensibilisieren. In der neu gegründeten Akademie für gute Lebensmittel, der Handwerkstatt, können Interessierte das Fleischen und Wursten für zu Hause erlernen oder einen Backkurs besuchen. Und das ist erst der Anfang.

ZWIEBELROSTBRATEN

Zutaten (für 2 Personen)
400 g Zwiebeln
2 EL Rapsöl
Salz
Zucker
schwarzer Pfeffer aus der Mühle
2 Roastbeef-Rindersteaks (à 200 g)
1 EL Butterschmalz
2 Zweige Thymian
2 Zweige Petersilie
100 ml junger Rotwein
80 g kalte Butter
1 TL scharfer Senf
einige Halme Schnittlauch
2 Scheiben Sauerteigbrot

1. Backofen auf 50 Grad vorheizen.
2. Zwiebeln pellen und in feine Spalten schneiden, dann in einer beschichteten Pfanne im Rapsöl 8 bis 10 Minuten hellbraun braten. Mit Salz, einer Prise Zucker und Pfeffer würzen und im Ofen warm stellen.
3. Die Steaks auf einer Seite mit Salz und Pfeffer würzen und auf der gewürzten Seite in einer Pfanne im heißen Butterschmalz bei mittlerer Hitze 3 bis 4 Minuten braten. Dann die obere Fleischseite salzen und pfeffern, das Steak wenden und weitere 3 bis 4 Minuten braten. Herausnehmen und einzeln in Alufolie gewickelt im Ofen ruhen lassen.
4. Thymian und Petersilie hacken und mit Rotwein und 1 TL Zucker in der Pfanne auf die Hälfte einkochen. Butter würfeln und nach und nach in die Weinreduktion einrühren. Salz, Pfeffer und Senf zufügen. Schnittlauch in Röllchen schneiden.
5. Brot im Toaster knusprig toasten und mit dem Zwiebelgemüse auf vorgewärmten Tellern anrichten. Das Fleisch aus dem Ofen in Scheiben schneiden und auf den Zwiebelbroten anrichten. Mit Sauce beträufeln, mit Schnittlauch bestreuen und sofort servieren.

Zubereitungszeit: 35 Minuten

Zwiebelrostbraten ist eigentlich kein richtiger Braten, sondern ein Steak vom Roastbeef, das früher »auf dem Rost« zubereitet wurde. Insbesondere im Schwäbischen wird der Rostbraten mit Unmengen frittierter Zwiebeln in dunkler Sauce mit Spätzle (siehe S. 61) serviert. In Österreich zählt er zu den traditionellen Rindfleischspezialitäten.

TAFELSPITZ MIT MEERRETTICHSAUCE

Zutaten
(für 4–6 Personen)
1 großes Bund Suppengrün
1,5 kg Tafelspitz
4 Lorbeerblätter
8 Pimentkörner
2 Nelken
8 schwarze Pfefferkörner
Salz
200 g Schlagsahne
3 Scheiben Toastbrot
1/2 Bund Petersilie
3–4 EL Sahnemeerrettich
Zitronensaft
1/2 Bund Schnittlauch
schwarzer Pfeffer aus der Mühle
frisch geriebener Meerrettich (ersatzweise aus dem Glas)

1. Suppengrün waschen, schälen und mit Küchengarn zusammenbinden. Gemeinsam mit dem Fleisch, den Lorbeerblättern, Pimentkörnern, Nelken, Pfefferkörnern und 5 g Salz in einen kleinen Topf geben und 3 Fingerbreit mit Wasser bedecken. Aufkochen und den entstandenen Schaum mit einer Schaumkelle abschöpfen. Bei milder Hitze offen 4 Stunden leise köcheln lassen, dabei eventuell Wasser nachgießen – das Fleisch sollte immer bedeckt sein.
2. Den Tafelspitz herausnehmen, die Brühe durch ein Sieb mit Tuch passieren. 1/2 l Brühe abmessen und mit der Schlagsahne aufkochen. Toastbrot entrinden, klein schneiden und zur Sauce geben, Petersilie hacken und unterrühren. Die Sauce aufkochen und mit dem Pürierstab feinschaumig aufmixen. Den Sahnemeerrettich unterrühren. Mit einem Spritzer Zitrone und Salz abschmecken.
3. Schnittlauch in Röllchen hacken. Das Fleisch in dünne Scheiben schneiden und auf einer vorgewärmten Platte anrichten, mit etwas Sauce begießen. Pfeffern und mit Meerrettich und Schnittlauchröllchen bestreut servieren. Übrige Sauce dazu servieren.

Zubereitungszeit: 30 Minuten (plus 4 Stunden Garzeit)

Tafelspitz mit Meerrettichsauce gehört zur klassischen Küche Österreichs. Die mit Brot gebundene Sahnesauce zum feinen Siedfleisch wird mit frischem Meerrettich geschärft. In Österreich heißt der Meerrettich übrigens »Kren«, abgeleitet vom slawischen Wort »krenas«, was so viel bedeutet wie »weinen« – eine Anspielung auf die mitunter tränentreibende Schärfe der Wurzel. In Österreich serviert man zum Tafelspitz Rahmspinat (siehe S. 104), Bratkartoffeln (siehe S. 253) und süßes, kühles Apfelkompott (siehe S. 282). Letzteres fein geschärft mit – Kren!

KNUSPRIGER SCHWEINEBAUCH MIT GESTOVTEM KOHL

Zutaten (für 6 Personen)
2 kg durchwachsener Schweinebauch ohne Knochen
grobes Meersalz
2 EL Schweineschmalz (wahlweise Butterschmalz)
2 Flaschen (à 330 ml) dunkles, kräftiges, malziges Bier
Salz
schwarzer Pfeffer aus der Mühle
1–2 EL Honig
1–3 TL Bieressig (wahlweise Balsamessig)

1. **Den Backofen auf 180 Grad vorheizen.**
2. **Die Schwarte vom Bauchfleisch mit einem scharfen Messer oder einem Teppichmesser kreuzförmig einschneiden. Die Speckseite üppig mit grobem Meersalz einreiben und 30 Minuten ziehen lassen. Dann Schweineschmalz in einer ofenfesten Form schmelzen, den Braten mit der Fettseite nach oben einlegen und im heißen Ofen auf der mittleren Schiene 1 Stunde vorgaren.**
3. **Die erste Bierflasche und 200 ml Wasser zugießen und 1 weitere Stunde garen, dabei den Braten immer wieder mit dem Sud beschöpfen. Danach die zweite Flasche vom Bier und nochmals 200 ml Wasser zugeben und weitere 45 Minuten garen.**
4. **Die Sauce abgießen und etwas entfetten – am besten geht das mit einer Fett-Trennkanne. Den Braten im ausgeschalteten Ofen 30 Minuten ruhen lassen.**
5. **Vor dem Servieren die Sauce aufkochen und mit Salz, Pfeffer, Honig und Essig würzen. Die Kruste des Bratens unter dem zugeschalteten Grill (Stufe 3 oder Ober-/Unterhitze bei 240 Grad) aufknuspern lassen – am besten daneben stehen bleiben, das geht schnell.**

Zubereitungszeit: 4 Stunden 10 Minuten (davon 3 Stunden 45 Minuten Gar- und Ruhezeit)

Dazu passen Krautsalat (siehe S. 168), Ofensauerkraut (siehe S. 204) oder Servietten-Semmelknödel (siehe S. 196) und/oder Rotkohl (siehe S. 219). Mein Favorit ist gestovter Kohl; der cremig gekochte Weißkohl wird in meiner Heimat Schleswig-Holstein gerne zu Fleisch und Braten aus dem Ofen serviert.

GESTOVTER KOHL 600 g Weißkohl entstrunken und fein schneiden oder hobeln. In Salzwasser 3 Minuten garen, abgießen und in kaltem Wasser abkühlen. Den Kohl möglichst trocken ausdrücken. 1 Zwiebel pellen, fein würfeln und in einem Topf in 1 EL Butterschmalz mit 1 TL Kümmelsaat andünsten. Kohl zugeben und 2 Minuten farblos schmoren. Mit Salz, einem Hauch fein geriebener Muskatnuss und einer Prise Zucker würzen. 150 g Sahne zugeben und kurz dicklich einkochen. Mit dem Pürierstab nur leicht cremig anpürieren und mit einigen Zweigen frisch gehackter Petersilie bestreut servieren.

ENTE AUS DEM OFEN

Zutaten (für 4 Personen)
1 Ente (ca. 2 kg), küchenfertig
Salz
750 g Entenklein
500 g Suppengrün
2 Zwiebeln
1 EL Gänseschmalz (wahlweise Butterschmalz)
1 EL Tomatenmark
50 ml roter Portwein
150 ml Rotwein
800 ml Entenfond (wahlweise Hühnerbrühe)
1 1/2 EL Zucker
1 EL Balsamessig
Pfeffer

1. Die Ente innen und außen unter kaltem Wasser abspülen, trocken tupfen und rundum mit Salz einreiben. 1 Stunde ziehen lassen.
2. Währenddessen Entenklein stückig schneiden und hacken. Das Suppengrün waschen, putzen bzw. schälen und fein stückeln. Die Zwiebeln mit Schale vierteln.
3. Den Backofen auf 180 Grad vorheizen.
4. Entenklein und Gemüse in einem Bräter im heißen Schmalz braun braten. Tomatenmark unterrühren und 1 Minute mitrösten. Mit Portwein ablöschen und den Bratensatz lösen. Rotwein zugeben und ohne Deckel dicklich einkochen. Mit Entenfond auffüllen und bei mittlerer Hitze offen 1 Stunde kochen.
5. Die Ente in einen Bräter setzen und heißes, leicht gesalzenes Wasser angießen, bis die Ente 2 Fingertief im Wasser liegt. In den Ofen schieben und 90 Minuten garen. Dabei die Ente immer wieder mit dem Wasser und später mit der entstandenen Fett-Wasser-Mischung bestreichen.
6. Nach dem Ende der Garzeit die Ente gegebenenfalls wenige Minuten mit Oberhitze bei 200 Grad nachbräunen. Dann den Ofen ausschalten und die Ente bei halb geöffneter Ofentür 10 Minute ruhen lassen.
7. Die Sauce passieren und nach Wunsch noch weiter einkochen oder mit etwas Saucenbinder binden. Die Bratflüssigkeit der Ente entfetten (am besten geht das mit einer Fett-Trennkanne), den Sud in einem zweiten Topf mit Zucker und Balsamessig aufkochen und die Mischung zur Sauce gießen. Mit Salz und Pfeffer würzen und zur Ente servieren.

Zubereitungszeit: 3 Stunden

Zur Ente schmecken Rotkohl (siehe S. 219) und Servietten-Semmelknödel (siehe S. 196), aber auch geschmorte Kirschen (siehe S. 128).

Entenklein nennt man eine Mischung aus Flügeln, Hals und frischen Innereien (Magen, Herz, Leber) der Ente. Oft befindet sich das Entenklein in einem Plastikbeutel in der Bauchhöhle des küchenfertigen Vogels. Bei den meisten Geflügelhändlern kann man Enten-, Gänse- oder Geflügelklein auch lose kaufen.

ENTRECÔTE-SPECK-BRATEN MIT SPARGEL-BROT-SALAT

Zutaten (für 4 Personen)

Entrecôte-Braten:

1 Entrecôte-Braten im Speckmantel (ca. 750 g, beim Metzger vorbestellen)

2 EL Öl

Spargel-Brot-Salat:

500 g grüner Spargel

Salz

1 Brötchen

2 eingelegte Sardellen

2–3 Knoblauchzehen

50 g Butter

einige Zweige Petersilie

Pfeffer

1. Für den Entrecôte-Braten den Backofen auf 140 Grad vorheizen.
2. Den Braten in einer ofenfesten Pfanne im Öl rundum anbraten, dann aus der Pfanne auf ein Blech setzen und im Ofen 40 Minuten garen. Die Pfanne mit dem Bratensatz beiseitestellen.
3. Für den Spargel-Brot-Salat die Spargelenden dünn abschneiden. Nur das untere Drittel des Spargels schälen. Spargel in Salzwasser 3 Minuten kochen. In kaltem Wasser abkühlen, abtropfen lassen und die Stangen dritteln.
4. Brötchen in dünne Scheiben schneiden, dann klein rupfen. Die Sardellen fein hacken. Knoblauch pellen und in Scheiben schneiden. Die Butter in die Pfanne mit dem Bratensatz geben und schmelzen, den Spargel mit den Knoblauchscheiben darin 1 Minute braten. Das zerpflückte Brot zugeben und rösten, bis es braun ist. Sardellen und frisch gezupfte Petersilie untermengen, mit Salz und Pfeffer würzen. Auf einer Platte leicht abkühlen lassen.
5. Das Fleisch nach Ende der Garzeit im ausgeschalteten Ofen bei geöffneter Ofentür 10 Minuten ruhen lassen. In Scheiben geschnitten mit dem lauwarmen Brotsalat servieren.

Zubereitungszeit: 1 Stunde

Der Spargel-Brot-Salat schmeckt auch zu Kurzgebratenem wie Steak oder Hähnchenschnitzel, sehr schön auch zu gebratenem Fisch oder solo mit etwas Käse und Brot als leichtes Sommeressen.

Red Bull
Spiele
Sätze
Dürüm
Pide
Börek
Falafel
Reh
ZUM SILBERSACK bei Erna
Bayern-Kamele

RIVERSTAR

HUHN MIT PILZFÜLLUNG

Zutaten (für 4 Personen)
2 kleine Zwiebeln
Olivenöl
75 ml Milch
2 Scheiben Toastbrot
1 Bund Petersilie
4 Zweige Majoran (wahlweise 1 TL gerebelter Majoran)
1 Ei (M)
Salz
Pfeffer
1 hohl ausgelöstes Huhn
50 g weiche Butter
200 g braune Champignons
300 g Kräuterseitlinge
1 Knoblauchzehe
100 ml trockener Weißwein
1/2 Bund Schnittlauch

1. **Für die Füllung die Zwiebeln pellen, fein würfeln und in einer Pfanne in 2 TL Olivenöl glasig dünsten. Milch zugeben und alles in eine Schüssel gießen. Das Toastbrot fein würfeln und untermengen. Die Hälfte der Petersilie und den Majoran fein hacken und mit dem Ei unterrühren. Die Masse mit Salz und Pfeffer würzen.**
2. **Das ausgelöste Hühnchen beidseitig salzen und mit der Hautseite nach unten auf ein großes, dünn gebuttertes und gepfeffertes Stück Alufolie legen. Die Füllung auf dem Huhn verteilen, dann zusammenrollen. Mit der Nahtseite nach unten mittig auf die Alufolie setzen und die Folie rundherum zusammenraffen, so dass das Huhn zu einem Drittel ummantelt ist.**
3. **Den Backofen auf 180 Grad vorheizen.**
4. **Das Huhn in der Alufolie auf ein Blech setzen und mit etwas Olivenöl beträufeln. Im heißen Ofen 35 Minuten garen.**
5. **Währenddessen Champignons dritteln, Kräuterseitlinge in dicke Scheiben schneiden. 10 Minuten vor Ende der Garzeit des Huhns den Knoblauch pellen und fein würfeln. Die Pilze in einer beschichteten Pfanne in 4 EL Olivenöl goldbraun braten. Knoblauch zugeben, mit Salz und Pfeffer würzen und durchschwenken. Mit Weißwein ablöschen und aufkochen. Die übrige Butter unterrühren, aufkochen und vom Herd ziehen. Schnittlauch in Röllchen schneiden, übrige Petersilie hacken und die Kräuter unter die Pilze rühren.**
6. **Das Huhn aus der Alufolie nehmen und den Saft zur Pilzpfanne gießen. Huhn in Scheiben schneiden und mit den Pilzen auf vorgewärmten Tellern anrichten.**

Zubereitungszeit: 55 Minuten

Ein Huhn selbst hohl auszulösen bzw. auszubeinen erfordert etwas Geschick: Dazu wird das Huhn am Rücken aufgeschnitten und dann im Ganzen vom Knochen gelöst, auch die Keulenknochen werden herausgeschnitten – so lässt sich jede Art von Geflügel zum Füllen vorbereiten. Wer keine Übung hat, bittet den Metzger oder Geflügelschlachter darum.

REHRAGOUT

Zutaten (für 4–6 Personen)
1 Rehkeule (ca. 1,3 kg)
1 Knoblauchzehe
8 Wacholderbeeren
8 Pimentkörner
300 g Steinpilze
2 EL Olivenöl
1/2 EL Mehl (Type 405)
1 EL Tomatenmark
150 ml weißer Portwein
1 Lorbeerblatt
3 EL Rapsöl
Salz
schwarzer Pfeffer aus der Mühle
einige Zweige Petersilie
Preiselbeeren aus dem Glas

1. **Das Fleisch der Rehkeule am Knochen entlang abschneiden (siehe unten). Die Knochen mit kaltem Wasser bedeckt aufkochen, dann den Schaum mit einer Schaumkelle abschöpfen. Knoblauch pellen, andrücken und mit den Wacholderbeeren und Pimentkörnern zugeben. Offen 20 Minuten kochen. Den Rehfond durch ein feines Sieb passieren und 500 ml abmessen.**
2. **Die Steinpilze putzen und in Scheiben schneiden, weniger schöne Exemplare klein würfeln. Das Rehfleisch in 2 bis 3 cm große Würfel schneiden und in einem Bräter im Olivenöl hellbraun anbraten. Die Steinpilzwürfel (nur die Würfel, nicht die Scheiben) zugeben und 2 Minuten mitbraten.**
3. **Fleisch mit Mehl bestäuben und Tomatenmark unterrühren. 1 Minute weiterrösten, dann mit Portwein ablöschen. Lorbeerblatt zugeben. 10 Minuten offen leise köcheln lassen, dann mit 300 ml vom Rehfond auffüllen und 40 Minuten köcheln. Weitere 200 ml Rehfond zugeben und nochmals 20 Minuten leise köcheln lassen.**
4. **Die Steinpilzscheiben in einer beschichteten Pfanne im heißen Rapsöl scharf anbraten, mit Salz und Pfeffer würzen. Das Rehragout mit Salz und Pfeffer abschmecken, die Steinpilze unterheben und mit gezupfter Petersilie bestreut servieren. Dazu passen Preiselbeeren.**

Zubereitungszeit: 2 Stunden (davon 1 Stunde 30 Minuten Garzeit)

Das Auslösen der Rehkeule übernimmt sicher auch gern Ihr Wildhändler, lassen Sie sich aber unbedingt die Knochen mitgeben – die brauchen wir fürs Rezept. Das Fleisch am besten nicht zu dunkel anbraten. Weniger Röststoffe unterstützen das feine Eigenaroma, perfekt ergänzt durch den selbst gekochten Fond. Zum Rehragout passen Selleriepüree (siehe S. 128), Kartoffelpüree (siehe S. 213) oder Rösti (siehe S. 75), aber auch Servietten-Semmelknödel (siehe S. 196), Rotkohl (siehe S. 219) oder Ofensauerkraut (siehe S. 204).

Krabben aus Büsum
AUSTERN
SYLT
Großer Hans
WACKEN
BULLEREI
leer
DITHMARSCHEN
HELGOLAND
NORDSEE
HEAVY-METALL-TOWN WACKEN
Ostsee
Gelände
FKK
Broiler
ÜBERALL GRILLEN
Knieper
MATJES
Glückstadt
Pinneberg
HAMBURG
MOIN!
Franzbrötchen
Elbe
TIM
UND PILZE AUS
Morcheln
Brandenburg
Currywurst
OLDENBURG
FRIESENPALME
Grünkohl
Weser
Lüneburger Heide
BREMEN
... da gab's ne Keilerei
WO WIRD NICHT VERRATEN
BERLIN
Döner
Spree
Kohl & Pinkel
Heidschnucke
BERLINER WEISSE
BEELITZ
Spargel
Löwensen
KASTENPICKERT
Bielefeld/Lippe
AHLEWORSCHD
HARZ
HARZER ROLLER
GURKE
Spreewald
TSCHÜSSI!

KÖLN
HIMMEL UND ÄD
HUNSRÜCK
Appelwoi
Hausmann
Saale Unstrut
Main
Rhein
Räuchermännchen
WEISSWURSTÄQUATOR
FRANKFURT
Frankfurter Grüne Soße
Dibbelabbes
BOEUF DE HOHENLOHE
SCHWÄBISCH HALLISCHES LANDSCHWEIN
SEMPER OPER
Blaue Zipfel
Brez'n
Heidelberg
Karl Theodor
Fass
Schwäbisch Hall
FRANKEN
Neckar
WEISSWURST UND SÜSSER SENF
Weißbier
STUTTGART
SERVUS!
Oktoberfest
Donau
BAYERN
Isar
OKTOBERFEST
3x GEBLITZT WORDEN
MÜNCHEN
GRÜß GOTT!
HAXE
Bodensee
SCHWEINSBRATEN und Klöße
Felchen (geräuchert)
← UND GLOCKEN
BRAUNE KÜHE
Geranien

NIERE
BÄCKCHEN
LEBER
ZUNGE
HERZ

Innereien

Halt! Nicht gleich weiterblättern, Sie verpassen was! Denn Innereien schmecken größtenteils nicht nur wesentlich besser, als ihr zu Unrecht ramponierter Ruf es vermuten lässt – einige Stücke sind sogar wahre Köstlichkeiten, und die finden Sie im folgenden Kapitel.

Innereien hatten eine lange Tradition in Deutschland, bis uns ein gewisser Grundwohlstand zu reinen Filet-Essern werden ließ: eine Luxus-Tabuisierung. Das Wissen um die Zubereitung der inneren Werte eines Tieres ist beinahe in Vergessenheit geraten, kaum ein Hobbykoch weiß noch, wie Herz, Leber, Zunge und Nieren richtig zubereitet werden, gewisse Ressentiments spielen dabei durchaus eine Rolle.

Jetzt erleben Innereien eine Renaissance, denn nicht nur unter Kulinarikern setzt sich langsam die Erkenntnis durch, dass ein Tier nicht nur aus Filetfleisch besteht. Den Anstoß dazu gab maßgeblich der britische Starkoch Fergus Henderson (»St.John«, London) mit seinem 2004 erschienen Buch »The Whole Beast: Nose to Tail Eating«. Er zeigte auf, dass die Verwertung aller essbaren Teile eines Tieres auch eine Frage des Respekts vor dem Leben ist und wies gleichzeitig darauf hin, dass es »eine Reihe von Freuden gibt, was Beschaffenheit und Geschmack betrifft, die abseits des Filets« zu finden sind. Schöner kann man es nicht formulieren, nur noch selber kochen!

Für Einsteiger empfiehlt sich definitiv das gebratene Herz (siehe S. 156), es lässt sich zubereiten wie ein Steak, das magere, zarte Fleisch ist butterzart und saftig. Dazu einen schönen Salat mit Frühlingskräutern und fertig!

Keine Angst auch vor Leber. Dem beliebtesten Innereiengericht der Deutschen wird nicht nur eine stimmungsaufhellende Wirkung nachgesagt, gebratene Leber schmeckt auch einfach fabelhaft, gerade als »Leber Berliner Art« in der Kombination mit süßem Apfel, Zwiebeln und Kartoffelpüree oder in meiner Version mit geschmolzenen Aprikosen und Brunnenkresse auf Toast (siehe S. 160). Leber ist, wie die meisten Innereien, sehr robust, da kann nix schiefgehen, und es schmeckt!

Kalbsnieren dürften für Menschen, die in den 70ern und 80ern groß wurden, noch zu den Kindheitserinnerungen gehören. Meine Mutter bereitete den Klassiker mit rahmiger Senfsauce zu. Davon inspiriert habe ich die zarten kleinen Nieren in Rotwein mit einem guten Stück Butter geschmort und mit Senf und Thymian abgeschmeckt (siehe S. 165). Beim Fototermin hat das Team die Nierchen direkt aus der Pfanne weggelöffelt.

Und gekochte Zunge, knusprig paniert wie Wiener Schnitzel, dürfte auch die letzten Skeptiker überzeugen – das Fleisch ist wirklich unvergleichlich zart.

Nur Mut, die Innereienküche belohnt mit völlig neuen Geschmackswelten, will allerdings gut vorausgeplant werden, denn Innereien sollten immer taufrisch und in Bioqualität verarbeitet werden. Bestellen Sie mit erheblichem Vorlauf beim guten Metzger Ihres Vertrauens, er kennt die Schlachttage und Bezugsquellen in der Region.

KALBSHERZ MIT SALAT

Zutaten (für 4 Personen)
1 kleiner Kopfsalat
600 g Kalbsherz
3 EL Öl
Salz
Pfeffer
1 Zweig Rosmarin
20 g Butter
2 Schalotten
4 EL Rotweinessig (wahlweise Weißweinessig)
Olivenöl
1 Bund Frühlingskräuter (z. B. Dill, Estragon, Kerbel, Petersilie)
grobflockiges Meersalz

1. Den Backofen auf 160 Grad vorheizen.
2. Kopfsalat waschen, putzen und trocken schleudern.
3. Vom Kalbsherz Haut und Sehnen wegschneiden. Das Herz in 3 gleich große Teile schneiden. In einer ofenfesten Pfanne im heißen Öl rundherum scharf anbraten, mit Salz und Pfeffer würzen. Rosmarin und Butter in die Pfanne geben und durchschwenken. Das Herz in der Pfanne in den Ofen stellen und auf der mittleren Schiene 12 Minuten garen, nach der Hälfte der Zeit einmal wenden. Herausnehmen und in Alufolie gewickelt 6 Minuten ruhen lassen, zwischendurch noch einmal wenden.
4. Schalotten pellen und fein schneiden, dann mit Rotweinessig und 8 EL Olivenöl zu einer Vinaigrette verrühren. Kräuter fein schneiden und unterrühren. Die Vinaigrette mit Salz und Pfeffer würzen und mit dem Kopfsalat mischen.
5. Die Herzstücke wie ein Steak in Scheiben schneiden, mit Meersalz bestreuen und mit etwas Olivenöl beträufeln. Zum Salat servieren.

Zubereitungszeit: 30 Minuten

EBACKENE ZUNGE MIT SALAT

Zutaten (für 4 Personen)
2 Zwiebeln
2 Möhren
/2 Sellerieknolle
3 Selleriestangen
Stange Lauch
4 Zweige Petersilie
4 Zweige Thymian

1 Kalbszunge (ca. 800 g)
Salz
1 Kopfsalat
1/2 Bio-Zitrone
150 g Sauerrahm
1 EL Honig
1 EL Rapsöl
Pfeffer

2 Eier (M)
1 EL Schlagsahne
6 EL Mehl (Type 405)
10 EL Semmelbrösel (besonders gut vom Bäcker, einfach mal nachfragen)
8 EL Butterschmalz

Die Zwiebeln mit Schale halbieren und mit den Schnittflächen nach unten in einer Pfanne ohne Fett dunkel anrösten. Möhren schälen und längs vierteln. Sellerie schälen und in dicke Stifte schneiden, Selleriestangen dritteln. Lauch waschen, längs halbieren und vierteln. Alle Gemüse mit Petersilie und Thymian mit Küchengarn zusammenbinden.

Die Zunge kalt abspülen und mit Zwiebeln, Suppengemüse und 1 TL Salz in einen Topf geben und mit Wasser auffüllen. Aufkochen und die Zunge zugedeckt bei mittlerer Hitze 2 Stunden 30 Minuten garen. nzwischen den Kopfsalat waschen, putzen und trocken schleudern. Zitronenschale fein abreiben, Saft auspressen und beides mit Sauerrahm, Honig und Rapsöl zu einem Dressing verrühren. Mit Salz und Pfeffer würzen. Salat und Dressing kalt stellen.

Die gegarte Zunge in kaltem Wasser abkühlen lassen. Die Haut lösen und das Fleisch in Scheiben schneiden. Eier mit Schlagsahne verquirlen und pfeffern. Die Zungen-Schnitzel in Mehl wenden, abklopfen und durch die Ei-Sahne ziehen. In den Semmelbröseln wenden und die Panierung gut andrücken.

Die Zungen-Schnitzel nacheinander in einer großen Pfanne in heißem Butterschmalz schwimmend bei mittlerer Hitze hellgoldbraun braten, dabei einmal wenden. Fertig gebratene Schnitzel kurz auf Küchenpapier abtropfen lassen, erst jetzt salzen und auf einer Platte im Ofen warm halten. Auf diese Weise alle Schnitzel zubereiten.

Den Salat mit dem Dressing beträufeln und mit der gebackenen Zunge servieren.

Zubereitungszeit: 3 Stunden 45 Minuten (davon 3 Stunden Gar- und Kühlzeit)

LEBER MIT APRIKOSEN

Zutaten (für 4 Personen)
300 g Aprikosen
1 1/2 EL Zucker
60 g Butter
1 EL Apfelessig (wahlweise Obstessig)
4 Scheiben Kalbsleber (à 125–150 g)
Salz
schwarzer Pfeffer aus der Mühle
3 EL Mehl (Type 405)
4 EL Rapsöl
6 Scheiben Toast
1/2 Bund Brunnenkresse

1. Die Aprikosen halbieren und entsteinen. Zucker in einer Pfanne hellbraun karamellisieren, 40 g Butter einrühren und mit Apfelessig ablöschen. Aufkochen, die Aprikosen zugeben und 1 Minute schwenken. Vom Herd nehmen und zugedeckt ziehen lassen.
2. Den Backofen auf 80 Grad vorheizen.
3. Die Leber mit Salz und Pfeffer würzen und im Mehl wenden. Abklopfen und im Rapsöl mit 20 g Butter bei milder Hitze von jeder Seite 3 bis 4 Minuten braten. Herausnehmen und auf einer Platte im Ofen warm stellen.
4. Toastbrot entrinden, halbieren und die Toaststreifen im Bratfett anrösten. Brunnenkresse waschen, putzen und trocken schleudern. Die Leber auf den Brotscheiben anrichten, Aprikosen mit der Sauce darauf verteilen und mit Brunnenkresse garniert servieren.

Zubereitungszeit: 30 Minuten

»BRUNNENKRESSE (AUCH: BACHKRESSE) FINDET SICH MEIST IM HALBSCHATTEN, NAHE FLIESSENDEN, KÜHLEN GEWÄSSERN – GERNE ABER AUCH AUF DEM NÄCHSTEN WOCHENMARKT.«

purple velvet
INTERNATIONAL FEMALE HIP HOP TOUR
SOOKEE
SHIRLETTE AMMONS
LEX LAFOY & DJ DOOWAP
RIOTVAN IN DER WACHE
GOOD GUY MIKESH LIVE
(RIOTVAN, ELLUM)
PANTHERA KRAUSE LIVE
(RIOTVAN)
PETER INVASION
(RIOTVAN)
NOCHTWACHE
SAMSTAG 14.06.2014
23:59H
BIG MAN DRAKE
HAFENKLANG
SIMEON SOUL
Summer Sale
ATMOSPHERE
SOUTHSIDERS
23. MAI 14 BAALSAAL
STOPOVER HAMBURG
K-TOWN HARDCORE FEST WARM UP #1
MS. CLAUDIA
NO MORE ART
HAFENKLANG
TRAGEDY
Hard Charger
Suicidas
HYSTERESE
THURSDAY
19.06.14
WWW.HAFENKLANG.ORG
BAALSAAL
SASCHKO CELEBRATE
BIRTHDAY
CESS
MONOLOC
CLARK DAVIS
JAKOB SEIDEN
AUTO
MATIC
MUSIC
ROBAG
WRUHME
STEFAN SIEBER
TOBIAS SCHMID
CLEPTO
MANICX
Summer Sale
Freitag & Samstag
30. & 31. Mai 2014

KALBSNIEREN IN ROTWEIN-SENF-SAUCE

Zutaten (für 2 Personen)
400 g frische Kalbsnieren (beim Metzger vorbestellen)
1 Zwiebel
1 Knoblauchzehe
3 Zweige Thymian
3 EL Öl
40 g kalte Butter
1 TL Senfsaat
1 TL Zucker
100 ml junger Rotwein
100 ml Kalbsfond (wahlweise Rinder- oder Gemüsefond)
1 EL Senf
6 Zweige Petersilie
Salz

1. **Von den Kalbsnieren Fett und Sehnen entfernen, die Nierenstücke halbieren. Zwiebel pellen und klein schneiden, Knoblauch pellen und fein würfeln, Thymianblättchen abzupfen.**
2. **Öl und 20 g Butter erhitzen, bis die Butter schäumt. Die Nieren darin bei mittlerer Hitze 3 Minuten braten. Herausnehmen und beiseitestellen.**
3. **Zwiebeln, Knoblauch, Thymian und Senfsaat ins Bratfett geben und glasig dünsten. Zucker einstreuen. Mit Rotwein ablöschen und 3 Minuten offen einkochen. Kalbsfond zugießen und aufkochen. Senf und Nieren unter die Sauce rühren. Kurz dicklich einkochen. Petersilie hacken und mit 20 g kalter Butter unterrühren. Mit Salz würzen.**

Zubereitungszeit: 35 Minuten

Dazu passen Kartoffelpüree (siehe S. 213), Salzkartoffeln oder Rösti (siehe S. 75), aber auch Reis oder breite Bandnudeln.

FRISCHER
SPARGEL

Salate, Gemüse und Beilagen

KRAUTSALAT

Zutaten (für 4 Personen)
700 g Spitzkohl
Salz
Zucker
50 ml Rotweinessig
2 EL Honig
50 ml Rapsöl
Pfeffer
1–2 TL Kümmelsaat
1 kleine rote Zwiebel

1. **Spitzkohl entstrunken und in sehr feine Streifen hobeln. Mit Salz und einer Prise Zucker würzen und in eine Schüssel geben.**
2. **Aus Rotweinessig, Honig und Öl eine Vinaigrette anrühren, mit Salz und Pfeffer würzen.**
3. **Kümmelsaat in einer Pfanne ohne Fett erhitzen, bis die Körner zu duften beginnen und springen. Dann im Mörser grob zermahlen. Die Zwiebel pellen, fein würfeln und mit dem Kümmel unter die Vinaigrette rühren.**
4. **Den Spitzkohl mit der Vinaigrette mischen. 10 Minuten ziehen lassen und vor dem Servieren nach Belieben mit Essig und Salz abschmecken.**

Zubereitungszeit: 25 Minuten

Anders als Weißkrautsalat muss man den zarten Spitzkohl nicht kneten, wenn man ihn besonders fein hobelt. Wer mag, kann noch Speckwürfel knusprig braten und unter den Salat mengen. Für eine fruchtige Variante einfach einen halben Apfel oder eine halbe Birne entkernen, in feine Streifen schneiden und dazugeben. Sehr gut schmeckt der Salat auch, wenn man 1 Esslöffel vom Rapsöl durch Walnussöl ersetzt.

SALATDRÖHNUNG

Zutaten (für 4 Personen)
200–250 g gemischte Blattsalate (z. B. Kopfsalat, Römersalatherzen, Eisbergsalat, Lollo rosso)
je 2 EL Weißwein-, Estragon- und Apfelessig (wahlweise auch Kräuter- oder Obstessig)
3 EL Apfelsaft
2 EL Honig
1–2 TL scharfer Senf
4 EL Sonnenblumenöl
2 EL Rapsöl
1 weiße Zwiebel
4 Zweige Dill
2 Zweige Estragon
1 Frühlingszwiebel
1 kleine Knoblauchzehe
Salz
Pfeffer

1 **Die gemischten Blattsalate putzen, gründlich waschen und trocken schleudern. Die Essigsorten mit Apfelsaft, Honig und Senf glatt rühren. Sonnenblumen- und Rapsöl zufügen.**

2 **Die Zwiebel pellen, fein würfeln und unterrühren, Kräuter hacken und dazugeben. Die Frühlingszwiebel längs vierteln, fein schneiden und ebenfalls unterrühren. Knoblauch pellen, fein würfeln und zufügen.**

3 **Die Salatsauce mit Salz und Pfeffer würzen und kurz vor dem Servieren über die Salatblätter löffeln.**

Zubereitungszeit: 20 Minuten

»MANCHMAL MUSS ES EINFACH NUR SALAT SEIN, EIN RIESENBERG KNACKFRISCHER BLATTSALATE MIT KRÄUTERDRESSING, BUTTERBROT DAZU UND FERTIG. SO SCHMECKT DER SOMMER!«

KARTOFFELSALATE NORD & SÜD

Zutaten NORD
(für 4–6 Personen)
800 g Salatkartoffeln (z. B. festkochende Sorten wie Linda, Selma oder Nicola)
Salz
2 Eier (M)
150 g Mayonnaise
100 g Schmand
1–2 EL Weißweinessig (wahlweise Kräuteressig)
75 ml Essiggurkenwasser
2–3 Essiggurken
1 Stange Staudensellerie
1 rote Zwiebel
1 Apfel
4 Zweige Petersilie
Cayennepfeffer
Zucker
1 Beet Kresse

Zutaten SÜD
(für 4–6 Personen)
800 g Salatkartoffeln (z. B. festkochende Sorten wie Linda, Selma oder Nicola)
Salz
2 Zwiebeln
300 ml Gemüsebrühe
8 EL Weißweinessig (wahlweise Kräuteressig)
1 TL Zucker
1 EL Senf (scharf oder mittelscharf)
Pfeffer
4–6 EL Sonnenblumenöl (wahlweise mildes Rapsöl)

1 Für den Kartoffelsalat Nord die Kartoffeln ungeschält in Salzwasser garen, je nach Größe dauert das 20 bis 30 Minuten. Abgießen und abkühlen lassen. Eier anpieken und in Salzwasser 12 Minuten kochen. In kaltem Wasser abschrecken. Mayonnaise mit Schmand, Essig und Essiggurkenwasser zu einer Sauce verrühren.

2 Essiggurken und Staudensellerie klein würfeln. Zwiebel pellen und fein schneiden, Apfel ungeschält vierteln, entkernen und fein würfeln. Alles unter die Sauce rühren. Petersilie hacken und unterrühren. Eier pellen, grob hacken und dazugeben.

3 Die Kartoffeln pellen, in Scheiben schneiden und mit der Sauce mischen. Mit Salz, Cayennepfeffer und einer Prise Zucker würzen. Kresse vom Beet schneiden und unterrühren.

4 Für den Kartoffelsalat Süd die Kartoffeln ungeschält in Salzwasser garen, je nach Größe dauert das 20 bis 30 Minuten. Abgießen und abkühlen lassen.

5 Zwiebeln pellen und fein würfeln. Brühe mit den Zwiebeln aufkochen, Essig und Zucker zugeben und offen 10 Minuten kochen. Kartoffeln pellen und in Scheiben schneiden. Nach und nach die heiße Essig-Zwiebel-Brühe und den Senf zugeben, dabei leicht sämig rühren. Mit Salz und Pfeffer würzen, dann erst das Öl unterrühren.

Zubereitungszeit: ca. 45 Minuten pro Salat (plus Abkühlzeit)

MIT GURKE UND RADIESCHEN

Zutaten
(für 4–6 Personen)
800 g Salatkartoffeln (z.B. festkochende Sorten wie Linda, Selma oder Nicola)
Salz
1 Bio-Salatgurke
1 Bund Radieschen
2 Schalotten
250 ml Gemüsebrühe
3–5 EL Weißweinessig (wahlweise Kräuteressig)
1 TL Zucker
schwarzer Pfeffer aus der Mühle
4–6 EL Sonnenblumenöl (wahlweise mildes Rapsöl)

1 Die Kartoffeln ungeschält in Salzwasser garen, je nach Größe dauert das 20 bis 30 Minuten. Abgießen und abkühlen lassen. Gurke in Scheiben schneiden, leicht salzen und beiseitestellen. Radieschen waschen und putzen.

2 Schalotten pellen und fein würfeln. Brühe mit den Schalotten aufkochen, Essig und Zucker zugeben und offen 5 Minuten kochen.

3 Kartoffeln pellen und in Scheiben schneiden. Nach und nach die heiße Essig-Zwiebel-Brühe zugeben und leicht sämig rühren. Gurkenscheiben abgetropft unterrühren. Radieschen in Scheiben schneiden und ebenfalls unterrühren. Den Salat mit Salz und Pfeffer würzen, dann erst das Öl zugeben.

Zubereitungszeit: 45 Minuten (plus Abkühlzeit)

MALERIN
MARIA SCHIERZ
IN IHRERM
KRÄUTERGARTEN

PARADIESGÄRTEN IN STADT UND LAND

Johannes King gehört zu den stilleren Starköchen der Republik. Jeden Tag steht der gebürtige Schwarzwälder in seinem Restaurant, dem »Söl'ring Hof« auf Sylt, und kocht dort seine Küche, deren Basis regionale und natürlich gewachsene Produkte sind, schlicht das Beste, was Meer und Land zu bieten haben. Dem Michelin ist das zwei Sterne wert, die Gäste schwärmen.

Wie immer in der Gastronomie ist Erfolg eine Teamleistung, und ums »Grünzeug« kümmert sich bei Johannes King seine ehemalige Frühstücksköchin, die Malerin Maria Schierz, »meine Gartenfee« nennt sie der Koch. Im gemeinschaftlich betriebenen Bauerngarten in Morsum sät, pflegt und erntet Maria alles, was grünt, blüht, reift und essbar ist.

Der alte Friesenhof mit Garten ist ein Paradies, hier gedeihen Möhren und Beten, Salate, Wurzeln, Knollen und Grünkohl in der saftig-sandigen Sylter Erde, hier wachsen Kräuter, deren Namen sogar ich im Internet nachsehen muss, Rhabarberblätter wiegen sich im Wind, und die Obstbäume und Beerensträucher versprechen reiche Ernte.

Wer selbst wissen will, woher sein Gemüse kommt und wo es am natürlichsten wächst, muss nicht Sternekoch werden, und auch den eigenen Garten braucht es nicht zwingend. Eigene Kräuter, Tomaten, Paprika, Gurken und Zucchini wachsen auch in Töpfen und Blumenkästen auf sonnigen Balkonen, Kresse und Sprossen sogar auf dem Fensterbrett. Wer keinen Balkon hat,

kann sich heute in einer der zahlreichen Erntegemeinschaften engagieren, unterstützt und finanziert damit eine marktunabhängige, nicht industrielle Landwirtschaft, und im Gegenzug gibt es den Ernteertrag zurück.

IN DEUTSCHLAND HAT DIE GRÜNE KÜCHE TRADITION.

Eine Übersicht über Höfe mit solidarischer Landwirtschaft findet sich im Netz unter solidarische-landwirtschaft.org.

Selbst in der Stadt entstehen immer häufiger kleine grüne Oasen, temporäre urbane Gärten, in denen selbstbestimmt und gemeinschaftlich gepflanzt, gejätet, gegossen und geerntet wird. In Hamburg gibt's das Gartendeck, den Venusgarten und die Keimzelle, in Berlin die Prinzessinnengärten. Einen Überblick über die wachsende Szene bieten die Gartenpiraten auf ihrer Internetseite gartenpiraten.net.

Und nicht zuletzt bleibt der schnelle Weg zu gutem Obst und Gemüse über ein Grüne-Kiste-Abo mit Lieferservice oder der Besuch auf dem Wochenmarkt. Dort kaufen Sie beim Erzeuger direkt, er steht persönlich und mit seinem guten Namen für seine Erzeugnisse und beantwortet auch alle Fragen zu seinen Produkten.

In Deutschland hat die grüne Küche Tradition. Bis zum Beginn der Wirtschaftswunderzeit in den 50er Jahren war Fleisch in Deutschland selten und teuer, dementsprechend sind viele Klassiker der Regionalküche eher vom Gemüse geprägt, wie beispielsweise Steckrübeneintopf

(siehe S. 19), Ofensauerkraut (siehe S. 204) und Zwiebelkuchen (siehe S. 231). Oft ist Fleisch auch nur Beilage, wie beim Klassiker Birnen, Bohnen und Speck (siehe S. 72), beim feinen Spargel (siehe S. 216) oder beim würzigen Grünkohl (siehe S. 122).

SOGAR DIE ARTISCHOCKE FÜHLT SICH SEIT KURZEM HIER WOHL.

Schon immer aber haben die Deutschen ihren Sonntagsbraten geliebt (siehe S. 121, S. 135, S. 224), der war etwas ganz besonderes, da wurde Fleisch bewusst genossen.

Die Vielfalt des grünen Angebots ist weiter gewachsen und überrascht: Hier wächst duftender Knoblauch, aus Bayern kommen Auberginen in Bio-Qualität, und sogar die Artischocke fühlt sich seit kurzem in Deutschland wohl – ein Angebot, das auch ich bislang ausschließlich eher im mediterranen Raum vermutet hätte.

Im Morsumer Paradiesgarten serviert Maria zum Abschluss noch ihre Gartenlimo, für die sie einige Brennnesselknospen, ordentlich Minze und einige Zweige Zitronenmelisse mit heißem Wasser übergossen hat – gewürzt nur mit Honig und Zitrone, abgekühlt und mit eiskaltem Sprudelwasser aufgefüllt. Das erfrischt, köstlicher als jede Limonade aus dem Supermarkt. Im Garten brummen Hummeln, der Blick fliegt über den nahen Deich, dahinter das Meer, es riecht nach Salz und Sonne. Wir wollen hier nicht weg. Ein Glas noch, bitte, Maria!

ROTE-BETE-APFEL-SALAT

Zutaten (für 4 Personen)
1 Bund Rote Bete (400 g)
Salz
1 TL Kümmel
100 g Joghurt
1 EL Rapsöl
Pfeffer
1/2 Bund Brunnenkresse
1 EL Apfelessig
1 EL Zucker
1 Apfel (z.B. Elstar oder Jonagold)
frischer Meerrettich nach Geschmack (wahlweise Meerrettich aus dem Glas)

1. Die Roten Beten vom Blattwerk trennen, die Knollen waschen und in Salzwasser mit Kümmel gar kochen – je nach Größe der Knollen kann das weit über 1 Stunde dauern. Geht ein Holzspieß ohne Widerstand durch die Beten, sind sie gar.
2. Joghurt mit Rapsöl glatt rühren, mit Salz und Pfeffer würzen. Kresse waschen und trocken schleudern. Die Roten Beten abgießen und unter kaltem Wasser kurz abkühlen, die Haut abziehen.
3. Apfelessig mit Zucker mischen und auf einen Teller geben. Apfel entkernen und ungeschält sehr fein hobeln. Auf dem Teller mit der Apfelessig-Zucker-Mischung vermengen.
4. Die Bete-Knollen noch warm in Scheiben schneiden und auf einer Platte auslegen. Mit den Apfelscheiben bedecken, mit Joghurtsauce überziehen. Meerrettich schälen, grob raspeln und mit der Kresse über dem Salat verteilen.

Zubereitungszeit: 1 Stunde 25 Minuten (davon 1 Stunde Garzeit für die Roten Beten!)

Für eine schnelle Variante können Sie auch fertig vorgekochte und geschälte Rote-Bete-Knollen verwenden. Die finden Sie vakuumiert in der Salatabteilung der meisten Supermärkte. Nicht geeignet sind eingelegte Rote Beten aus dem Glas, sie verfälschen den Geschmack.

OFENGEGARTE ROTE BETE Im Ofen gegarte Rote Bete schmeckt ganz besonders intensiv und aromatisch – ohne Kochverlust entfaltet sie ihren vollen Geschmack. Dafür ein Blech mit Backpapier auslegen und 500 g grobes Mühlensalz darauf verteilen. Die Rote-Bete-Knollen mit etwas Öl einreiben und auf das Salzbett legen. Im vorgeheizten Backofen bei 180 Grad auf der zweiten Schiene von unten je nach Größe der Knollen 50 bis 90 Minuten garen. Für eine Garprobe stechen Sie mit einem Spieß in die Knollen: Gleitet er ohne Widerstand hindurch, sind die Knollen gar.

EIERSALAT

Zutaten (für 4 Personen)
6 Eier (L)
Salz
50 g Mayonnaise
100 g Joghurt
1 EL Cornichon-Flüssigkeit (aus dem Glas)
1–2 Spritzer Weißweinessig (wahlweise Apfel- oder Kräuteressig)
Zucker
1 Stange Staudensellerie mit Grün
4 Cornichons
1/2 Apfel
1 EL Zitronensaft
1/2 rote Zwiebel
4 Radieschen
1 Beet Kresse

1. Eier anpieken und in kochendem Salzwasser 10 Minuten garen.
2. Für das Salatdressing Mayonnaise mit Joghurt und Cornichon-Flüssigkeit verrühren, mit Salz, Essig und einer Prise Zucker würzen.
3. Den Staudensellerie putzen, fein würfeln und das Grün klein zupfen. Cornichons in dünne Scheiben schneiden. Die Eier abgießen und in kaltes Wasser legen.
4. Apfel entkernen, fein würfeln und mit Zitronensaft mischen. Zwiebel pellen und fein würfeln. Radieschen waschen und putzen, Eier pellen und in Scheiben schneiden.
5. Eine Servierplatte mit etwas Dressing bestreichen und mit den Eischeiben auslegen. Dressing darüber träufeln. Selleriewürfel darauf verteilen, dann die Apfel- und Zwiebelwürfel. Mit Dressing beträufeln. Radieschen fein hobeln und mit Cornichon-Scheiben und Selleriegrün über den Salat geben. Mit Kresse bestreuen und servieren.

Zubereitungszeit: 25 Minuten

Dazu passen Toastbrot oder Pellkartoffeln.

FELDSALAT MIT GEBRATENEN AUSTERNPILZEN UND WILDSPARGEL

Zutaten
(für 2–4 Personen)
150 g roter Feldsalat (wahlweise grüner Feldsalat)
1 Eigelb
4 EL Traubenkernöl
Weißweinessig
Salz
Pfeffer
100 g festkochende Kartoffeln
8 Austernpilze
2 EL Mehl (Type 405)
6 EL Öl
500 g Wildspargel
60 g Butter
einige Zweige Bronzefenchel (wahlweise Fenchelgrün)

1. **Den Backofen auf 50 Grad vorheizen.**
2. **Feldsalat putzen, gründlich in lauwarmem Wasser waschen und trocken schleudern. Für die Salatsauce das Eigelb mit 2 EL Wasser glatt rühren. Das Traubenkernöl tröpfchenweise unterrühren. Mit einem Spritzer Weißweinessig, Salz und Pfeffer würzen und kalt stellen.**
3. **Kartoffeln schälen, fein würfeln und 2 Minuten in Salzwasser garen. Abgießen und ausdampfen lassen.**
4. **Austernpilze mit Mehl in einen Frühstücksbeutel geben, verschließen und schütteln. Die bemehlten Austernpilze aus dem Beutel nehmen und in einer großen beschichteten Pfanne in 4 EL heißem Öl goldbraun braten. Mit Salz würzen und auf einer Platte im vorgeheizten Ofen warm stellen.**
5. **Die Pfanne mit Küchenpapier auswischen und 2 EL Öl darin erhitzen. Den Wildspargel 2 Minuten braten, mit Salz und Pfeffer würzen und auf einem Teller ebenfalls im Ofen warm stellen.**
6. **Butter in der Pfanne schmelzen und die Kartoffelwürfel darin goldbraun braten. Salzen und auf Küchenpapier abtropfen lassen.**
7. **Feldsalat mit Wildspargel und Bronzefenchel auf einer Platte anrichten. Die Austernpilze dazugeben und mit der Salatsauce beträufeln. Mit den Röstkartoffelwürfeln bestreut servieren.**

Zubereitungszeit: 30 Minuten

GURKENSALATE

RAHMIGER

Zutaten (für je 4 Personen)

1 Salatgurke

Salz

Saft von 1/2 – 1 Zitrone

150 g Sauerrahm

1 TL Zucker

Pfeffer

KLARER

1 Salatgurke

Salz

3 EL Weißwein- oder Kräuteressig

1 EL Zucker

1 EL Sonnenblumen- oder Rapsöl

1 kleine weiße Zwiebel

4 Zweige Dill

1. **Für den rahmigen Gurkensalat die Gurke schälen und in Scheiben schneiden, mit Salz würzen und 30 Minuten ziehen lassen.**
2. **Zitronensaft mit Sauerrahm und Zucker glatt rühren. Das Dressing mit Salz und Pfeffer würzen. Die Gurkenscheiben mit dem Dressing mischen und gleich servieren.**
3. **Für den klaren Gurkensalat die Gurke schälen und in Scheiben schneiden, mit Salz würzen und 30 Minuten ziehen lassen.**
4. **Aus Essig, Zucker und Öl eine Vinaigrette anrühren. Zwiebel pellen und fein schneiden, Dill ebenfalls fein schneiden und beides unter die Vinaigrette rühren. Die Gurkenscheiben mit der Vinaigrette mischen.**

Zubereitungszeit: je 45 Minuten (davon 30 Minuten Ziehzeit)

Es muss nicht immer bio sein, aber gerade bei Salatgurken macht es großen Sinn, beim Einkauf auf Bioqualität und Freilandgurken zu achten – sie verlieren viel weniger Wasser, haben mehr Biss und sind deutlich aromatischer als ihre Gewächshauskollegen.

DIE

MANGOLDGEMÜSE MIT ROSINEN

Zutaten (für 4 Personen)
400 g Mangold
Salz
1 rote Zwiebel
1 Knoblauchzehe
40 g Butter
1/2 Stange Zimt
1–2 EL Rosinen
1 TL Honig
Cayennepfeffer

1. Mangold putzen, in lauwarmem Wasser waschen und trocken schleudern. Die Stiele in Stücke schneiden und in Salzwasser 3 Minuten garen. Abgießen und kalt abschrecken.
2. Die Zwiebel pellen und in Streifen schneiden, den Knoblauch pellen und fein würfeln. Butter in einem großen Topf schmelzen, Zwiebel, Knoblauch, Zimt und Mangoldstiele darin andünsten.
3. Mangoldblätter mit den Rosinen zugeben, salzen und die Blätter unter Rühren zusammenfallen lassen. Honig zugeben und weitere 5 Minuten unter Rühren schmoren.
4. Das Gemüse mit Salz und Cayennepfeffer abschmecken.

Zubereitungszeit: 20 Minuten

Mangold findet man auf dem Wochenmarkt den ganzen Sommer lang – von Juni bis September sogar aus heimischem Freilandanbau. Es gibt zwar Sorten mit roten, weißen und gelben Stielen, die Unterschiede sind aber eher optischer Art. Mein süß-scharfes Mangoldgemüse schmeckt besonders gut zu Fisch, Salzkartoffeln oder Kartoffelpüree (siehe S. 213).

KARTOFFELN

BAMBERGER HÖRNCHEN

BLAUE ANNELIESE

LINDA

MOOR-SIEGLIN

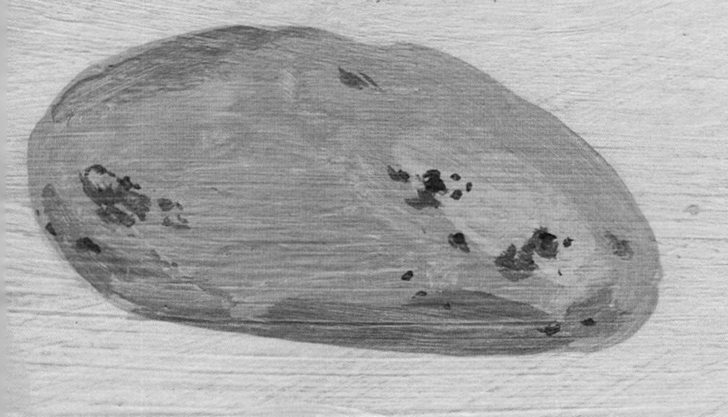
AMANDINE

ACKERSEGEN

BLAUER SCHWEDE

ROTE EMMA

BLUMENKOHL MIT EI UND BRAUNER BUTTER

ZUTATEN (für 2 Personen)

200 g Blumenkohl
Salz
4 Eier (M)
2 dünne Scheiben Sauerteigbrot
(so dünn wie möglich aufgeschnitten)
einige Halme Schnittlauch
60 g Butter
einige Estragonspitzen

1. Blumenkohl putzen und in mundgerechte Röschen teilen. Dann in Salzwasser 2–3 Minuten garen.

2. Die Eier in Salzwasser 6 Minuten kochen, kalt abschrecken und beiseitestellen.

3. Sauerteigbrot im Toaster goldbraun rösten. Schnittlauch in Röllchen schneiden. Die Butter in einer Pfanne schmelzen, bis sie leicht zu bräunen beginnt. Salzen und vom Herd ziehen.

4. Eier pellen und mit den heißen Blumenkohlröschen, dem in Stücke gebrochenen Sauerteigbrot und dem Estragon auf vorgewärmten Tellern anrichten. Mit Schnittlauchröllchen bestreuen und mit der braunen Butter beschöpfen. Sofort servieren.

Zubereitungszeit: 20 Minuten
Das Gericht wirkt sehr fein und sieht elegant aus, beim Essen darf dann trotzdem ordentlich gemust und gemengt werden, gut durchgemischt schmeckt's am besten und zum Weglöffeln gut!

OFENGESCHMORTES WURZELGEMÜSE

Zutaten
(für 4–6 Personen)
5 Fingermöhren
5 gelbe Möhren
4 schwarze Möhren
6 Petersilienwurzeln
1–2 TL Koriandersaat
1 TL schwarze Pfefferkörner
80 g weiche Butter
Salz
4 Zweige Estragon
Saft von 1/2 Zitrone

1. Den Backofen auf 220 Grad vorheizen.
2. Alle Möhrensorten und die Petersilienwurzeln schälen. Salzwasser in zwei Töpfen zum Kochen bringen: In einem Topf die schwarzen Möhren, im zweiten Topf das übrige Gemüse 5 bis 6 Minuten kochen. Abgießen und dampfend heiß in einen Bräter geben.
3. Koriander und schwarzen Pfeffer im Mörser mittelfein zermahlen. Die Gewürze mit der Butter vermengen und in Flöckchen auf den Möhren verteilen. Mit Salz würzen. Im vorgeheizten Ofen auf der mittleren Schiene 30 Minuten garen, dabei öfter durchmengen.
4. Estragon fein schneiden und unter die Möhren mischen. Mit Zitronensaft besprenkelt servieren.

Zubereitungszeit: 45 Minuten (davon 30 Minuten Garzeit)

Für das unkomplizierte Wurzelgemüse eignen sich auch Pastinaken, Topinambur oder Schwarzwurzelstücke. Einfach rund ums Jahr und je nach Marktlage variieren! Passt ausgezeichnet zu großen Braten (siehe S. 121 oder S. 224) oder Schmorgerichten (siehe S. 156 oder S. 139).

car wash
Reeperbahn
Ravioli
EXIL ADRESSE: HOLSTENSTRASSE 5
ECKE NOBISTOR, GEGENÜBER ENDOKLINIK, S-REEPERBAHN
HINESE DOGS
ET'S DANCE! + KALIPO
RKS + KAT VINTER
YIE + TOBIAS HUNDT
KONZERTE MAI
04.05. JOHN PAUL KEITH
05.05. AVA LUNA
07.05. ROYAL BLOOD
08.05. THE CROOKES
09.05. SCHOOL IS COOL
13.05. WHITE LUNG
16.05. CLOUD NOTHINGS
17.05. DUNE RATS
19.05. YESTERDAY SHOP
21.05. THE TEAMSTERS
24.05. THE DELTA RIGGS
27.05. AMAZING SNAKEHEADS
FLOWER POWER SPACE ROCK
TANZ IN DEN MAI
MOTORBOOTY! THE ROCK'N'ROLL DANCEFLOOR
MIS-SHAPES
REVOLVER CLUB
LOST IN MUSIC
MOTORBOOTY! THE ROCK'N'ROLL DANCEFLOOR
REEPERBAHN
KÖNIGSTR.
NOBISTOR
GR. FREIHEIT
HOLSTENSTR.
ANZE PROGRAMM AUF
OLOTOWCLUB.COM

DOSENRAVIOLI-HEIMAT

Die legendäre Esso-Tanke, Hamburg, St. Pauli: 24 Stunden geöffnet, 7 Tage die Woche, 365 Tage im Jahr – seit 1949. Hier gingen die Kieznächte in Verlängerung, hier trafen sich alle, Punks, Popper und Diskohasen, Technotänzer, Ausdruckstänzer, Homeboys und Girlfriends, DJs und Nachtarbeiter. Da war keiner mit dem Auto da, aber vollgetankt hatten alle! Von hier aus sind wir oft in die Nacht gestartet, »An der Esso treffen!«, das kannte wirklich jeder. Und auf dem Heimweg sind alle nochmal rein, Aufrüstung gegen den drohenden Kater anderntags, mit Chips, Cola und Schokolade – letztes Bier auf die Hand inklusive. Und ich hab da meine Dosenravioli gekauft, ist 'ne Schwäche von mir, ich liebe Dosenravioli, seit meiner Kindheit. Ich würde die ja selber machen, aber ich krieg es einfach nicht so genial pampig und komplett verkocht hin. Und ich könnte schwören, an der Esso gab es die besten Ravioli in Dose, wahrscheinlich weil die da nie lange standen, Riesennachfrage, Dosenravioli-Heimat, der Kiez. Die Esso gibt es nicht mehr. Bereits im Februar begann der Abriss des Plattenbaus. Zurück bleibt: ein Bauvorhaben. Und Erinnerungen an legendäre Nächte.

SERVIETTEN-SEMMELKNÖDEL MIT KRÄUTERSALAT

Zutaten (für 4 Personen)

Für die Knödel:

250 g frische Brötchen
250 g frische Laugenbrötchen
80 g Zwiebeln
100 g Speckwürfel
40 g Butter
150 ml Milch
50 g Sahne
Salz
Pfeffer
1 Bund Petersilie
4 Zweige Majoran (ersatzweise 1/2 TL getrockneter)
2 Eier (M)
4–6 TL Butterschmalz

Für den Kräutersalat:

100 g Friséesalat
50 g Rauke (Rucola)
50 g Feldsalat
1 Beet Rettichsprossen
einige Blättchen Gartenkräuter (z. B. Basilikum, Kerbel, Dill)
2 EL Weißwein
3–4 EL Estragonessig (wahlweise Weißweinessig)
1 EL Zucker
5 EL Distelöl
1 EL Kürbiskernöl
Salz
2 EL Kürbiskerne
1 TL Rapsöl

1. Für die Knödel die Brötchen in kleine Würfel schneiden. Zwiebeln pellen, fein würfeln und mit dem Speck in einer Pfanne in schäumender Butter glasig dünsten. Mit Milch und Sahne ablöschen, mit Salz und Pfeffer würzen, aufkochen und über die Brotwürfel gießen. Mit einem Kochlöffel einmal verrühren, dann abkühlen lassen.
2. Petersilie und Majoran hacken und mit den Eiern unter den Knödelteig rühren. Teig mit den Händen gut durchkneten, nach Geschmack salzen (oft reicht das Salz auf dem Laugengebäck). 15 Minuten ziehen lassen.
3. In einem Bräter reichlich Salzwasser zum Sieden bringen. Eine frische Stoffwindel oder ein großes Geschirrtuch doppelt falten. Die Kloßmasse als Rolle daraufsetzen und zusammenrollen, die Enden mit Küchengarn verschnüren. (Die Rolle sollte nicht länger als Ihr Bräter sein, andernfalls machen Sie zwei kürzere Rollen.) Die Rolle ins siedende Wasser geben und 20 Minuten garen, dabei mit zwei Holzlöffeln ab und zu drehen.
4. Inzwischen für den Kräutersalat die Salate waschen, putzen und trocken schleudern, die Kräuter mundgerecht zupfen. Salate und Kräuter mischen und mit feuchtem Küchenpapier bedeckt kalt stellen. Aus Wein, Estragonessig, Zucker, Distel- und Kürbiskernöl eine Vinaigrette rühren und salzen. Kürbiskerne in einer Pfanne im Rapsöl anrösten, salzen und beiseitestellen.
5. Die Knödelrolle aus dem Wasser heben, abtropfen lassen, ausrollen und auf einem trockenen Brett in fingerdicke Scheiben schneiden. Die Scheiben in einer beschichteten Pfanne in Butterschmalz von jeder Seite 2 bis 3 Minuten goldbraun braten.
6. Salate und Kräuter mit der Vinaigrette marinieren und auf den gebratenen Serviettenknödelscheiben anrichten. Mit Kürbiskernen bestreut servieren.

Zubereitungszeit: 1 Stunde 20 Minuten

GARAGE

HAUSGEMACHTES

Bärlauchöl

125 g Bärlauch in lauwarmem Wasser waschen, dann trocken schleudern. Im Mixer mit 200 ml kaltgepresstem Rapsöl, 1 EL Apfelessig, 1 Spritzer Zitronensaft, 1/2 TL Salz und 1/2 TL Zucker pürieren.
In ein verschließbares Glas füllen und kalt stellen.
Das Bärlauchöl eignet sich zum Würzen von Nudelgerichten, Suppen, Eintöpfen, Saucen und Dressings, aber auch zum Marinieren von Fleisch und Fisch.

Kürbis-Birnen-Gemüse

500 g Kürbis schälen und fein würfeln, 200 g Zwiebeln pellen und fein würfeln. 1/2 Chilischote in feine Ringe schneiden. Kürbis und Zwiebeln in einer großen Pfanne in 3 EL Olivenöl andünsten, Chili und 3 EL Zucker zugeben und 3 bis 4 Minuten garen. 20 g Ingwer fein reiben und mit 1 Sternanis zugeben. 3 bis 4 Minuten schmoren. 1 Birne schälen, entkernen und fein würfeln. Birnenfleisch mit 4 bis 5 EL Apfelessig unterrühren und nochmals 2 bis 3 Minuten schmoren. Mit Salz würzen.
In ein verschließbares Glas füllen und kalt stellen.
Das Kürbis-Birnen-Gemüse darf gerne noch Biss haben und schmeckt besonders gut zu Käse und Wildgerichten, zu Leberpastete oder gekochtem Schinken.

Zwiebelmarmelade

500 g rote Zwiebeln pellen und in feine Streifen schneiden. In einer Pfanne in 3 EL Olivenöl bei milder Hitze 12 bis 15 Minuten weich dünsten. Mit 2 EL Zucker bestreuen und 1 Minute schmoren. Mit 150 ml rotem Portwein und 150 ml jungem Rotwein ablöschen und offen dicklich einkochen. Mit einer Prise Salz würzen. In ein verschließbares Glas füllen und kalt stellen.
Die Zwiebelmarmelade schmeckt besonders gut zu Käse und Wildgerichten, aber auch zu gegrilltem Fleisch oder als besonderer Belag für einen Zwiebelkuchen.

Currysauce

1 große Gemüsezwiebel pellen und fein würfeln. 1 Knoblauchzehe pellen und fein würfeln, 1 rote Chilischote in feine Scheiben schneiden. 20 g Ingwer fein raspeln. 2 EL Öl in einem Topf erhitzen und alles darin glasig dünsten. 1 EL Senfsaat und 1 EL Zucker, dann 1 EL mildes Currypulver und 1 Anisstern unterrühren. 1 EL Tomatenmark zugeben und verrühren. Mit 200 ml Orangenlimonade ablöschen und aufkochen. 1 Dose stückige Tomaten (425 g EW) unterrühren. Aufkochen und offen rund 10 Minuten dicklich einkochen. Mit Salz würzen. In ein verschließbares Glas füllen und kalt stellen.

Die Currysauce schmeckt warm und kalt und passt natürlich allerbestens zu Brat- oder Grillwurst, aber auch zu gebratenem Fisch und Grillfleisch.

Petersilien-Walnuss-Pesto

1/2 TL Kümmelsamen in einer Pfanne ohne Fett rösten, bis die Samen zu duften beginnen und in der Pfanne springen. 60 g Petersilie mit 50 g Walnüssen, dem Kümmel und 125 ml Traubenkernöl im Mixer pürieren. Mit Salz, Pfeffer, 2 EL Apfelessig und 1 Prise Zucker würzen. 20 g Bergkäse fein reiben und unterrühren. In ein verschließbares Glas füllen und kalt stellen.

Das Petersilien-Walnuss-Pesto eignet sich zum Würzen von Nudelgerichten, Suppen, Eintöpfen, Saucen und Dressings. Außerdem schmeckt es zu Gemüse, Fleisch, Fisch und Käse.

Honignüsse

Je 50 g Mandelkerne, Walnüsse und Haselnüsse mit der Intervallfunktion der Küchenmaschine klein hacken. Von 4 Thymianzweigen die Blättchen abzupfen, 1 Knoblauchzehe pellen und fein würfeln. 250 ml Honig in einem Topf erhitzen und 3 Minuten kochen. Mit 200 ml Bier ablöschen und nochmals aufkochen. Thymian, Knoblauch und Nüsse einrühren und in wenigen Minuten sirupartig einkochen. In heiß ausgespülte Gläser füllen.

Die Honignüsse eignen sich als Beigabe zu Käse, Fleisch und Wildgerichten.

GRILLZWIEBELN MIT BERGKÄSE

Zutaten (für 4–6 Personen)

3 Bund gemischte Lauchzwiebeln
Rapsöl
Salz
schwarzer Pfeffer aus der Mühle
100–150 g Bergkäse (z. B. Allgäuer Emmentaler oder Allgäuer Heumilchkäse)

1. Den Backofen auf 220 Grad vorheizen.
2. Die Lauchzwiebeln putzen, dafür angetrocknete Außenblätter entfernen, die Wurzelbärte abschneiden, die Zwiebeln selbst im Ganzen belassen. In eine Auflaufform geben, mit etwas Rapsöl beträufeln und mit Salz und Pfeffer würzen. Im vorgeheizten Ofen auf der mittleren Schiene 20 Minuten garen, dabei zweimal durchmischen.
3. Bergkäse raspeln, über die Zwiebeln streuen und für einige Minuten im Ofen wahlweise schmelzen oder gratinieren.

Zubereitungszeit: 30 Minuten

Ein wirklich simples Gemüsegericht aus eigentlich nur zwei Hauptzutaten, das extrem vielschichtig und würzig schmeckt. Die Grillzwiebeln passen perfekt zu Pellkartoffeln oder auf Schwarzbrot mit Butter und – kein Witz – Leberwurst!

OFENSAUERKRAUT

Zutaten
(für 6–8 Personen)
2 Dosen Sauerkraut (à 850 g)
300 g Zwiebeln
40 g Schweinschmalz (wahlweise Butterschmalz)
3 EL Zucker
100 g geräucherter Speck, in 0,5 cm dicken Scheiben
4 Lorbeerblätter
Salz
1 EL Kümmelsaat
6 Wacholderbeeren
3 Nelken
300 ml Weißwein

1. Das Sauerkraut in einem Sieb abtropfen lassen, den Saft auffangen. Zwiebeln pellen und fein schneiden. Schmalz in einem Bräter erhitzen, Zwiebeln mit Zucker zugeben und bei mittlerer Hitze 5 bis 6 Minuten goldbraun braten.
2. Geräucherten Speck, Sauerkraut und Lorbeerblätter zugeben. Mit Salz würzen und unter Rühren 8 Minuten schmoren. Kümmelsaat in einer Pfanne ohne Fett anrösten, bis die Samen zu duften beginnen und in der Pfanne springen. Wacholderbeeren und Nelken leicht andrücken, mit der Kümmelsaat zum Sauerkraut geben und 2 Minuten schmoren.
3. Den Backofen auf 200 Grad vorheizen.
4. Das Sauerkraut mit Weißwein ablöschen und aufkochen. Sauerkrautsaft zugeben. Das Kraut im Bräter in den Ofen schieben und offen 1 Stunde schmoren, dabei ab und zu umrühren.

Zubereitungszeit: 1 Stunde 25 Minuten (davon 1 Stunde Garzeit)

Ofenkraut am besten immer gleich in rauen Mengen vorkochen. Es macht sich beinahe von alleine, schmeckt mit jedem Aufwärmen noch besser und lässt sich prima einfrieren. Schon alleine mit Kartoffelpüree serviert, ist das Ofenkraut ein tolles Essen. Es passt aber auch zu Kochschinken (siehe S. 235), zu Strammem Max (siehe S. 223), Servietten-Semmelknödeln (siehe S. 196), Schweinebauch (siehe S. 139), Krustenbraten (siehe S. 224) oder Schupfnudeln (siehe S. 68).

LECKER PILZE

Lack-
trichterling
Heide-
schleierling
Parasol
Pfifferling

RADI-MAIRÜBCHEN-EISZAPFEN-GEMÜSE

Zutaten (für 4 Personen)
1 Bund Radieschen
1 Bund Mairübchen (auch: Navetten)
1 Bund Eiszapfen-Rettiche
Salz
30 g Butter
150 g Schlagsahne
Pfeffer
Zitronensaft
Zucker
6 Zweige Dill

1 **Gemüse vom Grün schneiden, Mairübchen und Eiszapfen-Rettiche mit dem Sparschäler schälen. In Salzwasser 3 Minuten garen – das Gemüse soll seinen Biss behalten.**
2 **Gemüse abgießen, tropfnass und heiß in einer Pfanne in der Butter andünsten. Sahne zugießen und offen in wenigen Minuten leicht dicklich einkochen.**
3 **Mit Salz und Pfeffer, einem Spritzer Zitrone und einer Prise Zucker abschmecken. Dill fein schneiden und unterrühren.**

Zubereitungszeit: 20 Minuten

Für dieses Gemüsegericht habe ich zarte Mairübchen mit scharfen Radieschen und Eiszapfen-Rettich kombiniert. Dill und Zitrone geben zusätzlich Frische ans zarte Rahmgemüse. Das schmeckt zu Salzkartoffeln oder Kartoffelpüree (siehe S. 213), passt aber auch ausgezeichnet zu gekochtem Schinken (siehe S. 235), Schmorgerichten (siehe S. 56, 139) oder Fisch.

BOHNENRAGOUT MIT DREIERLEI BOHNEN

Zutaten (für 4 Personen)

500 g Palbohnen (ersatzweise frische weiße Bohnenkerne)
300 g grüne Bohnen
700 g dicke Bohnen
1 Zwiebel
150 g Speckwürfel
4 EL Olivenöl
5 Zweige Bohnenkraut (wahlweise 1–2 TL getrocknetes Bohnenkraut)
1 EL Tomatenmark
1–2 TL Zucker
1–2 Knoblauchzehen
400 ml Tomatensaft
Salz
schwarzer Pfeffer aus der Mühle

1. Palbohnen aus der Schote lösen und 20 Minuten in Wasser kochen. Die grünen Bohnen putzen, dritteln und 7 Minuten in Wasser garen. Dicke Bohnen ebenfalls aus den Schoten lösen und 2 Minuten in Wasser kochen. Alle drei Bohnensorten nach Ablauf der Garzeit abgießen und in kaltem Wasser abkühlen, dann abtropfen lassen. Die dicken Bohnenkerne zusätzlich aus der wächsernen Hülle drücken.
2. Zwiebel pellen, fein würfeln und mit den Speckwürfeln im heißen Öl hellbraun anbraten. Bohnenkraut grob hacken und mit Tomatenmark und Zucker unterrühren. Knoblauch pellen, fein würfeln und dazugeben.
3. Tomatensaft angießen. Offen 2 bis 3 Minuten dicklich einkochen. Die Bohnen hinzufügen und noch 2 bis 3 Minuten unter Rühren schmoren. Mit Salz und Pfeffer würzen.

Zubereitungszeit: 60 Minuten

Das Bohnenragout passt toll einfach zu Bauernbrot, zu einem Rösti (siehe S. 75) oder zu Bandnudeln.

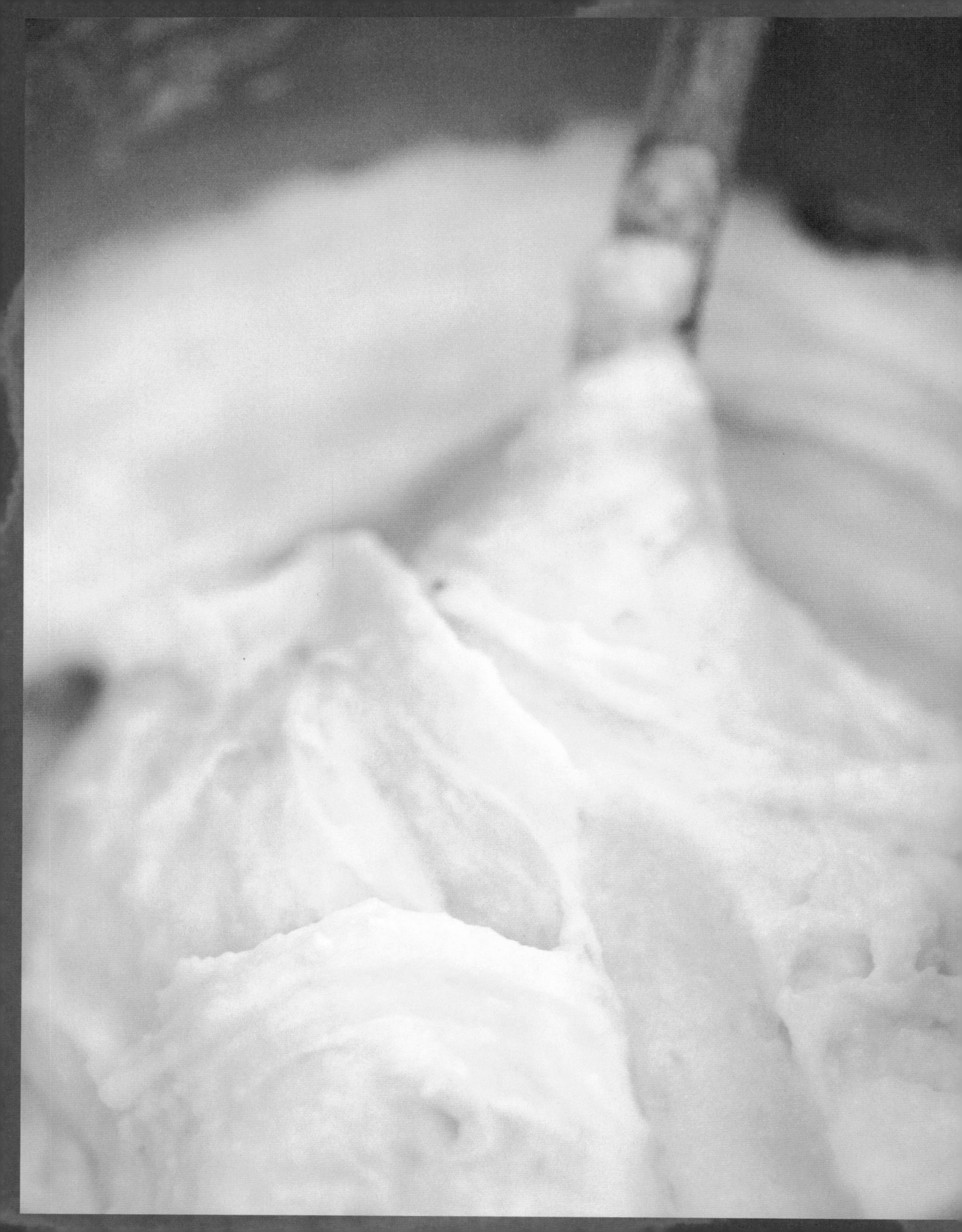

KARTOFFEL-PÜREE

Zutaten (für 6 Personen)
1 kg mehlig kochende Kartoffeln
Salz
150 ml Milch
150 g Butter
150 g Sahne
Muskatnuss

1. Kartoffeln gründlich waschen. In kochendem Salzwasser in 20 bis 25 Minuten weich kochen. Ausdampfen und leicht abkühlen lassen, dann pellen. Die Kartoffeln einmal durch die Kartoffelpresse drücken und wieder zurück in den Topf geben.
2. Milch mit Butter und Sahne in einem zweiten Topf aufkochen, mit Salz und einer Prise frisch geriebener Muskatnuss würzen. Über den Kartoffelschnee gießen und alles im Topf cremig rühren.

Zubereitungszeit: 45 Minuten

Für ein Kartoffel-Käse-Püree ersetzen Sie einfach die Butter durch fein geriebenen Bergkäse, den Sie ganz zum Schluss im Püree schmelzen. Mit Schnittlauch bestreuen, dazu Kopfsalat (siehe S. 156) – ein echtes Wohlfühlessen!

ZWIEBELSTIPPE Zum Kartoffelpüree passt eine schnelle Zwiebelstippe, die fix zubereitet werden kann, während die Kartoffeln garen! Dafür 4 Zwiebeln pellen und würfeln. 2 EL Öl und 40 g Butter in einer großen Pfanne erhitzen, die Zwiebeln hineingeben, salzen und bei milder Hitze unter Rühren in 15 bis 20 Minuten weich und goldbraun schmoren. 1 TL Zucker unterrühren und mit Salz und Pfeffer würzen. Nach Belieben Schnittlauchröllchen, frisch gehackten Majoran oder Petersilie zugeben.

SPARGEL

SPARGEL MIT RHABARBER UND LAMMKOTELETTS

Zutaten (für 4 Personen) | Zubereitungszeit: 45 Minuten

200 g zarten Himbeer-Rhabarber (auch: Erdbeer-Rhabarber oder Rosen-Rhabarber) | Zucker 200 g reife Erdbeeren | 3–4 EL Estragonessig (wahlweise Weißweinessig) | 2 TL Haselnussöl (wahlweise Olivenöl) | Salz | 2 kg Spargel | 1 TL Zucker | 2–3 Lammstielkoteletts (Lammkarree) pro Person | 3 EL Olivenöl | Pfeffer | einige Blättchen Basilikum

1 Rhabarber putzen, sehr fein würfeln und mit 2 EL Zucker mischen. Erdbeeren waschen, putzen, pürieren und durch ein Sieb streichen. Mit Estragonessig und Haselnussöl zu einer Vinaigrette verrühren, mit Salz würzen. Den Rhabarber unterheben. **2** Spargel mit dem Sparschäler schälen. Die Enden knapp abschneiden und mit den Spargelschalen in einen Topf geben. Mit 1,5 l Wasser bedecken, aufkochen und 1 Minute kochen. Vom Herd nehmen und 10 Minuten ziehen lassen. Dann die Schalen und Spargelenden mit einer Schaumkelle entfernen. **3** Spargel portionsweise mit Küchengarn zusammenbinden. Den Spargelsud aufkochen, mit Salz und Zucker würzen und den Spargel hineinlegen. Er sollte bedeckt sein, sonst den Sud mit Wasser auffüllen. Erneut aufkochen, dann Topf vom Herd nehmen, Deckel aufsetzen und den Spargel zugedeckt je nach Dicke 12 bis 15 Minuten ziehen lassen. **4** Inzwischen die Lammstielkoteletts in einer beschichteten Pfanne im Olivenöl scharf anbraten, Hitze reduzieren und die Koteletts noch 6 bis 8 Minuten (medium bis medium well) braten, dabei zweimal wenden. Mit Salz und Pfeffer würzen. **5** Den kochfrischen Spargel mit der Vinaigrette anrichten, mit Basilikumblättchen bestreuen und mit den Lammkoteletts servieren.

SPARGEL MIT SAUCE HOLLANDAISE

Zutaten (für 4 Personen) | Zubereitungszeit: 45 Minuten

2 kg Spargel | Salz | 1 TL Zucker | 1 Schalotte | 100 ml trockener Weißwein | 2–3 EL Weißweinessig (wahlweise Estragon- oder Kräuteressig) | 250 g Butter | 2 Eigelbe (M) | Salz

1 Den Spargel mit dem Sparschäler schälen. Die Enden knapp abschneiden und mit den Schalen in einen Topf geben. Mit 1,5 l Wasser bedecken, aufkochen lassen und 1 Minute kochen. Vom Herd nehmen und 10 Minuten ziehen lassen. Dann die Schalen und Spargelenden mit einer Schaumkelle entfernen. **2** Spargel portionsweise mit Küchengarn zusammenbinden. Den Spargelsud aufkochen, mit Salz und Zucker würzen und den Spargel hineinlegen. Er sollte bedeckt sein, sonst den Sud mit Wasser auffüllen. Erneut aufkochen, dann Topf vom Herd nehmen, Deckel aufsetzen und den Spargel zugedeckt 12 bis 15 Minuten ziehen lassen. **3** Für die Sauce hollandaise die Schalotte pellen, fein würfeln und mit Wein und Weißweinessig in einem Topf aufkochen lassen. Die Flüssigkeit auf etwa 2 EL einkochen und durch ein Sieb passieren. Butter in einem Topf schmelzen, aufkochen lassen und durch ein feines Sieb gießen. Die klare Butter beiseitestellen. **4** Eigelbe mit der Weinreduktion in einen Schlagkessel oder kleinen Topf füllen und über einem heißen Wasserbad dicklich-cremig aufschlagen. Die Butter erst tröpfchenweise, dann in dünnem Strahl unterrühren und mit Salz würzen. Zum kochfrischen Spargel servieren. Dazu passen Kartoffeln.

SPARGEL MIT KRATZETE

Zutaten (für 4 Personen) | Zubereitungszeit: 55 Minuten

3 Eier (L) | 300 ml Milch | 180 g Mehl (Type 405) | 1 Bund Petersilie | 1 Bund Schnittlauch
2 kg Spargel | Salz | 1 TL Zucker | Pfeffer | 4 EL Öl | 20 g Butter

1 Für die Kratzete 2 Eier trennen. Eiweiß kalt stellen. 1 Ei mit zwei Eigelben und der Milch glatt rühren. Mehl sieben und mit einem Schneebesen unterrühren. Petersilie hacken, Schnittlauch in Röllchen schneiden und beides zum Teig geben. Zugedeckt quellen lassen. **2** Den Spargel mit dem Sparschäler schälen. Die Enden knapp abschneiden und mit den Schalen in einen Topf geben. Mit 1,5 l Wasser bedecken, aufkochen lassen und 1 Minute kochen. Vom Herd nehmen und 10 Minuten ziehen lassen. Dann die Schalen und Spargelenden mit einer Schaumkelle herausschöpfen. **3** Spargel portionsweise mit Küchengarn zusammenbinden. Den Spargelsud aufkochen, mit Salz und Zucker würzen und den Spargel hineinlegen. Er sollte bedeckt sein, sonst den Sud mit Wasser auffüllen. Erneut aufkochen, dann Topf vom Herd ziehen, Deckel aufsetzen und den Spargel je nach Dicke 12 bis 15 Minuten ziehen lassen. **4** Den Backofen auf 180 Grad vorheizen. **5** Das Eiweiß aus dem Kühlschrank mit einer Prise Salz steif schlagen und unter den Kratzete-Teig heben. Mit Salz und Pfeffer würzen. Öl in einer ofenfesten, beschichteten Pfanne erhitzen, Teig hineingeben und kurz stocken lassen. Dann im heißen Ofen 8 bis 10 Minuten auf der zweiten Schiene von unten backen. **6** Den »Pfannkuchen« aus dem Ofen nehmen und mit zwei Gabeln in Stücke reißen. Butter in der Pfanne erhitzen und die Kratzete darin rundum hellbraun braten. Zum Spargel servieren.

Kratzete ist eine badische Spezialität. Der luftige Kräuterschmarrn wird dort traditionell zum Spargel serviert. In Berlin und Brandenburg reicht man zum Spargel Bröselbutter – dabei ist das Mengenverhältnis ausschlaggebend fürs kulinarische Glück: Mehr Butter als Brösel lautet das Geheimnis! Die Brösel werden dazu einfach in Butter schwimmend goldbraun gebraten. Die Hessen servieren gerne ihre Grüne Sauce (siehe S. 42) mit dem Stangengemüse. Und der Klassiker zum Spargel, den man deutschlandweit liebt, sind schlicht Kartoffeln mit geschmolzener Butter.

Zum Spargel mit Kratzete passen Sauce hollandaise (siehe S. 216) oder geschmolzene Butter. Schinken geht immer, als Norddeutscher liebe ich ganz besonders den zarten, leicht rauchigen Katenschinken, der hierfür etwas dicker aufgeschnitten wird.

Um der Hollandaise mehr Stabilität zu verleihen, kann man die Eigelbe mit der Weinreduktion und zusätzlich 1 TL Mehl (Type 405) glatt rühren und dann weiter nach Rezept verfahren. Wer die Hollandaise schlanker mag, verlängert die Sauce mit Joghurt oder etwas Spargelfond. Oder Sie experimentieren ein bisschen mit Kerbel, Pimpinelle, Borretsch oder Dill (toll zu Fisch!). Für eine klassische Sauce béarnaise rühren Sie einfach frisch geschnittenen Estragon und Kerbel in die Grundsauce.

Rotkohl

Zutaten (für 4–6 Personen)
1 kg Rotkohl
2 EL Zucker
Salz
8 Wacholderbeeren
4 Lorbeerblätter
2 Nelken
1 TL Pimentkörner
200 g Zwiebeln
4 EL Gänseschmalz
100 ml Apfelsaft
Pfeffer
1 Apfel

1. Am Vortag den Rotkohl vierteln und den Strunk entfernen. Rotkohl fein hobeln oder schneiden, mit Zucker und 1 EL Salz vermengen und mürbe stampfen oder kneten, bis der Kohl feucht ist. Abdecken und mit einem Gewicht beschwert über Nacht mindestens 12 Stunden ziehen lassen.
2. Am nächsten Tag einen Teebeutel mit den Wacholderbeeren, den Lorbeerblättern, den Nelken und Pimentkörnern füllen und gut verschließen.
3. Zwiebeln pellen und in feine Streifen schneiden. Schmalz in einem großen Topf schmelzen, Zwiebeln darin glasig dünsten. Rotkraut zugeben und mit Apfelsaft und 500 ml Wasser auffüllen. Mit Salz und Pfeffer würzen und aufkochen. Den Apfel reiben und unterrühren, den Gewürzteebeutel hineinhängen.
4. Zugedeckt 90 Minuten leise köcheln, dabei ab und zu umrühren. Zum Schluss das Rotkraut mit Salz nachwürzen und den Gewürzteebeutel vor dem Servieren entfernen.

Zubereitungszeit: 1 Stunde 45 Minuten (plus Marinierzeit über Nacht)

Hausgemacht schmeckt Rotkohl wesentlich besser als aus Glas oder Dose, das lohnt sich! Perfekt zur knusprigen Ente (siehe S. 142) oder als Beilage zu Schweinebauch (siehe S. 139) oder Schweinebraten. Für eine vegetarische Variante lassen sich die Servietten-Semmelknödel (siehe S. 196) in Scheiben geschnitten kross braten und zum Rotkohl servieren.

Abendbrot

STRAMMER MAX MIT ZWIEBEL-GURKEN-HÄCKERLE

Zutaten (für 2 Personen)

Für das Häckerle:

1 EL Rotweinessig
1 EL Rapsöl
1 kleine rote Zwiebel
1 dicke Essiggurke
4 Zweige Petersilie
Salz
Pfeffer

Für den Strammen Max:

2 EL Sonnenblumenöl
4 Eier (M)
4 große Scheiben Sauerteigbrot
2 TL Butter
2–4 Scheiben Katenschinken

1. Für das Häckerle den Rotweinessig mit Rapsöl verrühren. Zwiebel pellen, fein würfeln und zur Essig-Öl-Mischung geben. Die Essiggurke fein würfeln und unterrühren, Petersilie hacken und ebenfalls unterrühren. Mit Salz und Pfeffer würzen.
2. Für den Strammen Max Sonnenblumenöl in einer Pfanne erhitzen, die Eier hineinschlagen und in 4 bis 6 Minuten zu Spiegeleiern braten. Mit Salz würzen und beiseitestellen.
3. Sauerteigbrot mit Butter bestreichen. Auf einem Blech im Backofen unter dem Grill knusprig rösten (am besten dabei stehen bleiben, es geht schnell!).
4. Die Röstbrote halbieren und mit Katenschinken belegen. Die Eier darauf anrichten und mit dem Häckerle toppen. Sofort servieren.

Zubereitungszeit: 20 Minuten

BIERGARTENBRATEN

Zutaten (für 6 Personen)
2 kg Schweineschulterbraten, mit Schwarte
1 EL Kümmelsaat
1 TL schwarze Pfefferkörner
1 TL Paprikapulver, edelsüß
2 EL Salz
2 Möhren
2 Petersilienwurzeln
2 Stangen Selleriegrün
2 Zwiebeln
500 ml Dunkelbier
1–2 EL Honig
1–3 TL Apfel-Balsamessig (wahlweise Balsamessig)

1. Den Backofen auf 140 Grad vorheizen.
2. Das Fleisch mit leicht angedrückter Kümmelsaat, leicht angedrückten Pfefferkörnern, Paprikapulver und Salz einreiben und mit der Schwarte nach unten in einen Bräter setzen. So viel heißes Wasser angießen, dass die Schwarte komplett bedeckt ist. Im heißen Ofen 1 Stunde garen.
3. Inzwischen das Gemüse schälen und fein würfeln, die Zwiebeln pellen und in Spalten schneiden. Den Braten wenden und die weiche Schwarte kreuzförmig einschneiden. Gemüse zum Braten geben und mit Dunkelbier ablöschen. Im Ofen weitere 90 Minuten garen, dabei ab und an mit dem Bratensud beschöpfen.
4. Die Sauce abgießen und durch ein Sieb in einen Topf passieren, dabei die Hälfte der weichen Gemüse mit einer Kelle durchs Sieb in die Sauce passieren. Die Sauce offen 8 bis 12 Minuten einkochen.
5. Die Kruste des Bratens unter dem zugeschalteten Grill (Stufe 3 oder Ober-/Unterhitze bei 240 Grad) aufknuspern lassen – am besten daneben stehen bleiben, das geht schnell.
6. Ofen und Grill abschalten und den Braten 15 Minuten im Ofen ruhen lassen. Die Sauce nochmals aufkochen und mit Honig und Essig nach Geschmack würzen. Mit Salz abschmecken.

Zubereitungszeit: 3 Stunden 10 Minuten (davon 2 Stunden 45 Minuten Gar- und Ruhezeit)

Dazu passen Krautsalat (siehe S. 168), Ofensauerkraut (siehe S. 204) oder gestovter Kohl (siehe S. 139), aber auch Servietten-Semmelknödel (siehe S. 196) und/oder Rotkohl (siehe S. 219).

GRAF
ARCO
BIER
aus Adldorf,
Birnbach,
Valley
GAB
Krone
der Brau-
kunst
Freibier, gibt's morge

HOPFEN UND MALZ, GOTT ERHALTS!

Wissenschaftliche Belege geben Anlass zu der Vermutung, dass das Wissen um die Herstellung von Bier so alt ist wie die Erkenntnis der Menschheit darüber, dass ein Brei aus Wasser und Körnern irgendwann zu gären beginnt – und dann nicht nur satt, sondern auch sehr fröhlich macht. Und es ist nicht unwahrscheinlich, dass die Anstrengungen des Ackeranbaus auch durch die Entdeckung der erheiternden Wirkung vergorener Saat motiviert gewesen sein dürften.

GRUNDSÄTZLICH LIEBT BIER WÜRZIGE ZUTATEN WIE ZWIEBELN.

Die ältesten Brauereien der Welt finden sich bereits im Ägypten des 4. Jahrtausends v. Chr., Weltmeister im Bierbrauen sind aber die Deutschen, nirgendwo gibt es eine größere Vielfalt an Biersorten. Das Wissen um die Braukunst hat hierzulande seine Wiege in den Klöstern des Mittelalters, und das Deutsche Reinheitsgebot von 1516 sorgte lange für eine gewisse Gradlinigkeit: Die älteste Lebensmittelvorschrift der Welt besagt, dass ein Bier nur Hopfen, Malz und Wasser zu enthalten habe (die in der Luft enthaltenen Hefen waren noch nicht bekannt).

In Deutschland wird nicht nur viel Bier getrunken, insbesondere in Bayern und Franken wird traditionell auch fleißig mit Bier gekocht, dort habe ich mich zu dem Rezept für knusprigen Schweinebauch mit dunklem Bier (siehe S. 139) und dem Biergartenbraten (siehe S. 224) inspirieren lassen. Und das haben die im Süden einfach drauf: Ob Wurstsalat (siehe S. 245), Fleischpflanzerl (siehe S. 37) oder Semmelknödel (siehe S. 196) – die Wiege der Küche zum Bier steht ebenfalls in Bayern und Franken, wo Hefeweizen und Dunkelbiere zu Hause sind.

Zu den hellen und herben Bieren aus Deutschland, wie Exportbier, Pils, würziges Altbier und Kölsch, schmecken regionale Spezialitäten wie Birnen, Bohnen und Speck (siehe S. 72), Labskaus (siehe S. 76) und Grünkohl (siehe S. 122) aus der nordischen Küche oder auch Rheinischer Reibekuchen (siehe S. 84), Steckrübeneintopf (siehe S. 19), Strammer Max (siehe S. 223) oder Sauerfleisch (siehe S. 242).

Grundsätzlich liebt Bier würzige Zutaten wie Zwiebeln, geräucherten Speck, fettes Fleisch. Kräuter und Gewürze wie schwarzer Pfeffer, Liebstöckel, Majoran, Lorbeer und Piment und im süßen Bereich Zimt, Nelke, Anis, Fenchel, Honig, Orange und Zitronen harmonieren bestens mit Bier, und es macht Spaß zu experimentieren.

Für eine neue und erweiterte Geschmackswelt stehen die vielen Craft-Beer-Brauereien, die als Reaktion auf das Brauereisterben in den Nullerjahren überall in Deutschland entstanden und entstehen. Die Craft-Beer-Bewegung hat ihre Wurzeln in den USA, der Begriff selbst und die jungen Craft-Beer-Brauer stehen für eine neue Vielfalt handgemachter deutscher Biere. Dem Deutschen Reinheitsgebot entwachsen, arbeiten sie mit besonderen Hopfen und Gärungen, dem Spiel mit der Stammwürze, geben auch mal Früchte und Kräuter zu oder lagern ihr Bier in alten Whiskeyfässern.

Diese neuen Biere und eine neue Generation von handwerklich arbeitenden Bierbrauern finden sich auch in Ihrer Region. Deutschlands neue Biervielfalt beginnt gleich um die nächste Ecke.

ROTWEIN-SOLEIER

Zutaten (für 12 Eier)
1 Zwiebel
2 Lorbeerblätter
1 TL Pimentkörner
1 EL Senfsaat
1 TL schwarze Pfefferkörner
4 Zweige Estragon
4 Zweige Thymian
4 Zweige Petersilie
750 ml junger Rotwein
2 EL Zucker
1 1/2 EL Salz
50 ml Rotweinessig
12 Eier (M)

1. **Zwiebel mit Schale halbieren und in einer beschichteten Pfanne auf den Schnittflächen goldbraun rösten. Lorbeerblätter, Pimentkörner, Senfsaat und Pfefferkörner ebenfalls in die Pfanne geben und mitrösten, bis die Gewürze zu duften beginnen.**
2. **Zwiebelhälften mit den Gewürzen, den Kräutern, Rotwein, Zucker, Salz und Rotweinessig in einem Topf aufkochen. 30 Minuten offen kochen.**
3. **Währenddessen Eier anpiken und in Salzwasser 8 bis 10 Minuten kochen. Dann in kaltem Wasser kurz abschrecken und die Eierschale rundum andrücken, sodass überall kleine Risse entstehen. In ein Gefäß geben und mit dem heißen Rotweinsud begießen. Abkühlen lassen, dann zugedeckt kalt stellen und mindestens 12, besser 24 Stunden im Rotweinsud ziehen lassen. Pellen und genießen.**

Zubereitungszeit: 35 Minuten (plus 12 Stunden Ziehzeit)

Die Eier schmecken köstlich nur mit etwas grobem Meersalz gewürzt und mit Rapsöl beträufelt oder auch zu gebuttertem Bauernbrot mit frischen Schnittlauchröllchen. Klassisch werden Soleier vor dem Servieren halbiert und das Eigelb vorsichtig herausgelöst. Dann etwas Senf, Rapsöl und Essig, nach Geschmack auch einen Hauch Tabasco in die Eiweiß-Mulde geben und das Eigelb mit der Rundung nach oben wieder einsetzen. Mit Salz würzen, mit Kresse dekorieren. Bis zu 4 Tage bleiben die Soleier frisch, in verschlossenen Gläsern mit Lake bedeckt und im Kühlschrank gelagert.

Soleier sind traditionell in Salz-Essig-Lake haltbar gemachte Eier, einst ein beliebter Kneipen-Happen für hungrige Zecher, der leider aus der Mode gekommen ist. Insbesondere in Berliner Kneipen stand stets ein Glas Soleier im Zentrum des sogenannten »Hungerturms«: eine mehrstöckige Vitrine, gefüllt mit Köstlichkeiten wie Schmalzbroten, kalten Buletten, Rollmöpsen und Knackwurst, die zu später Stunde reißenden Absatz fanden!

ZWIEBELKUCHEN

Zutaten
(für 4–6 Personen)
200 g Mehl (Type 405) plus etwas Mehl für die Arbeitsfläche
150 g Dinkelmehl
25 g frische Hefe
1 EL Honig
5 EL Sonnenblumenöl
Salz
2 große Gemüsezwiebeln (ca. 800 g)
1 TL Kümmelsamen
Pfeffer
1 EL Zucker
150 ml Apfelsaft
100 g Schmand
80 g geriebener junger Bergkäse
einige Zweige glatte Petersilie

1 Am Vortag Mehl und Dinkelmehl in eine Schüssel sieben. Hefe unter Rühren in 200 ml lauwarmem Wasser mit dem Honig ganz auflösen. 2 EL Sonnenblumenöl und 1 TL Salz zum Mehl geben und mit dem Knethaken der Küchenmaschine zu einem glatten Teig verkneten, dann noch 2 Minuten kräftig weiterkneten. Den Teig in einer Plastikschale zugedeckt mindestens 12 Stunden im Kühlschrank gehen lassen.

2 Am nächsten Tag für die Zwiebelmasse die Zwiebeln in feine Streifen schneiden. 3 EL Sonnenblumenöl in einem Bräter erhitzen. Zwiebeln mit Kümmel hineingeben, mit Salz, Pfeffer und Zucker würzen und bei mittlerer Temperatur 15 Minuten hellbraun schmoren. Mit Apfelsaft ablöschen und kurz aufkochen, bis die Flüssigkeit verdampft ist. Zwiebelgemüse beiseitestellen und abkühlen lassen.

3 Den Backofen auf 240 Grad vorheizen.

4 Den Teig aus dem Kühlschrank nehmen und auf einer leicht mit Mehl bestäubten Arbeitsfläche in Blechgröße ausrollen. Dann auf ein Blech mit Backpapier legen und rundherum einen Rand formen. Den Boden mit Schmand bestreichen und mit geriebenem Bergkäse bestreuen. Die Zwiebelmasse gleichmäßig darauf verteilen. Im heißen Ofen bei 240 Grad auf der untersten Schiene 20 bis 25 Minuten backen. Mit frisch gezupfter Petersilie bestreut servieren.

Zubereitungszeit: 50 Minuten (plus 12 Stunden Gehzeit)

Der Teig für diesen Zwiebelkuchen sollte 12 Stunden im Kühlschrank gehen – das lohnt sich! Nur so wird er richtig locker und feinporig. Auch die Zwiebelmasse kann man schon vorab zubereiten und zugedeckt im Kühlschrank aufbewahren.

Zwiebelkuchen schmeckt besonders im Herbst, wenn überall in den deutschen Weingebieten Straußenwirtschaften zur Einkehr einladen. Kehrbesen weisen symbolisch den Weg in die privat betriebenen und meist einem Winzerbetrieb angegliederten Besenwirtschaften.

»Ich bin die Pommes Mayo!«
»Ich bin der Schaschlik scharf mit Brot!«
Der Imbiss ist deutsches Kulturgut. Ob es am nachgesagten Fleiß der Deutschen liegt, dass sie so gerne am Büdchen einkehren, auf 'ne schnelle Currywurst, 'n halbes Hähnchen, 'ne Frikadelle im Brötchen? Dem stünde entgegen, dass sich der Deutsche Zeit nimmt beim Imbissbesuch: für einen Klönschnack, für ein bisschen Tresengeflüster und noch ein Bier mit dem Fremden, der eben an den Stehtisch getreten ist: »Ist hier noch frei?« Na klar!

HAUSGEMACHTER KOCHSCHINKEN

Zutaten
(für 6–8 Personen)
180 g Pökelsalz
1 Spanferkelkeule (mit Knochen ca. 2,5 kg)
4 Zwiebeln
2 EL Wacholderbeeren
6 Lorbeerblätter

1. 5 Tage vorher 3,5 l Wasser in einem Topf oder Bräter mit dem Pökelsalz mischen. Die Spanferkelkeule hineinlegen – sie sollte vollständig mit Wasser bedeckt sein, sonst noch etwas Wasser zugießen. Den Topf verschließen und 5 Tage im Kühlschrank kalt stellen.
2. Die Keule aus der Pökellake nehmen und in einem zweiten Topf oder Bräter mit frischem Wasser bedecken.
3. Zwiebeln pellen, halbieren und in einer Pfanne ohne Fett auf den Schnittflächen braun anrösten. Mit Wacholderbeeren und Lorbeerblättern zur Keule geben und aufkochen. Den Schaum mit einer Schaumkelle abschöpfen. Die Keule 2 Stunden und 45 Minuten kochen. Dann den Knochen aus dem warmen Fleisch lösen, das Fleisch im Sud auskühlen lassen oder warm aufgeschnitten servieren.

Zubereitungszeit: 3 Stunden (plus 5 Tage Zeit zum Pökeln!)

Unser hausgemachter Schinken aus Spanferkel schmeckt unvergleichlich, egal ob warm oder kalt. Warm passt er besonders gut auf Brot (siehe S. 237) oder zu Kartoffelpüree (siehe S. 213) mit Ofensauerkraut (siehe S. 204). Kalt schmeckt er als Aufschnitt zum Frühstück und Abendbrot oder etwas dicker geschnitten mit Pellkartoffeln und Remouladensauce (siehe S. 250) oder Tatarsauce (siehe S. 242).

Pökelsalz bekommen Sie übrigens beim Metzger, oder Sie kaufen es online.

GRÜNER SPARGELSALAT MIT KOCHSCHINKEN

Zutaten (für 4 Personen)
500 g grüner Spargel
Salz
3 EL Mandelblättchen
3–4 EL Apfelessig (wahlweise Obstessig)
1/2 EL Honig
3 EL Rapsöl
1–2 TL Nussöl
3–4 Zweige Majoran
1 Frühlingszwiebel
4–6 Scheiben etwas dicker geschnittener Kochschinken (siehe S. 235)
Pfeffer

1. Nur das untere Drittel des Spargels mit dem Sparschäler schälen. Die Enden knapp abschneiden. Die Spargelstangen längs halbieren und dritteln, dann in kochendem Salzwasser 2 Minuten mit Biss garen. Abgießen und in kaltem Wasser abkühlen.
2. Mandelblättchen in einer Pfanne ohne Fett hell anrösten. Aus Apfelessig, Honig, Raps- und Nussöl eine Vinaigrette anrühren. Majoran fein hacken und mit den Mandelblättchen unterrühren. Frühlingszwiebel putzen, klein schneiden und unterrühren.
3. Den Kochschinken grob zerrupfen und mit dem abgetropften Spargel und der Vinaigrette mischen. Den Salat mit Salz und Pfeffer würzen.

Zubereitungszeit: 20 Minuten

WARMER SPANFERKELSCHINKEN AUF RÖSTBROT MIT KARAMELLISIERTEN TOMATEN

Zutaten (für 4 Personen)
1 Bund Brunnenkresse
2 EL Apfelessig
1 EL Honig
4 EL Olivenöl
Salz
Pfeffer
4 Tomaten
3 EL Zucker
8 Scheiben Bauernbrot
400 g Kochschinken (am besten vom Spanferkel, warm aufgeschnitten, siehe S. 235)
frischer Meerrettich nach Geschmack

1. 1 Bund Brunnenkresse waschen, dickere Stiele entfernen und die Kresse trocken schleudern. Aus Apfelessig, Honig und Olivenöl eine Vinaigrette anrühren. Mit Salz und Pfeffer würzen.
2. Tomaten halbieren, die Schnittflächen salzen. Zucker in einer Pfanne schmelzen, die Tomatenhälften mit der Schnittfläche nach unten hineinlegen und 1 bis 2 Minuten karamellisieren lassen.
3. Die Brotscheiben mit etwas Olivenöl beträufeln und im Ofen unter dem Grill rösten (am besten dabei stehen bleiben, das geht schnell!).
4. Brunnenkresse mit der Vinaigrette mischen. Brote mit karamellisierten Tomaten, Kochschinken und der Brunnenkresse belegen. Mit frisch geraspelter Meerrettichwurzel bestreuen.

Zubereitungszeit: 25 Minuten

BÄCKER
CHRISTIAN TIMM
IN SEINER BACKSTUBE
AN DER SCHLEI

BROT – DER DUFT VON HEIMAT

Gutes Brot? Alles, was man dafür braucht, ist Hefe, Mehl, Zucker und Salz, ein bisschen Wasser, etwas Öl und Zeit – erklärt mir Bäcker Christian Timm, der in seiner Backstube im historischen Gasthaus Odins Haddeby an der Schlei Brote und Brötchen bäckt wie vor 100 Jahren. Die knuspern schon beim Aufschneiden, schön regelmäßig ist der Teig aufgegangen, die Krume ist elastisch und duftet ofenwarm.

DIE DEUTSCHEN LIEBEN BROT, ES RAHMT DEN TAG.

Das Sortiment ist übersichtlich, es gibt einige Hausbrote aus dem Steinofen, dazu Baguette und zwei Sorten Brötchen. »Dafür kann ich mit dem Rücken gerade stehen.« Christian Timm lacht: »Und wir machen es auch den Männern beim Brötchenholen leichter, die freuen sich immer: Ah, dunkel und hell, das ist ja einfach, einmal gemischt bitte! Und wir sind immer ausverkauft, da bleibt nix übrig!«

Brot hat Tradition in Deutschland, nirgendwo sonst auf der Welt findet sich eine größere Vielfalt an oft regional geprägten Brotsorten und Kleingebäcken.

Die Deutschen lieben Brot, es rahmt den Tag: beginnend mit dem Frühstück, bei dem insbesondere sonntags mit Semmeln, Wecken, Kaiserbrötchen, Toast und regionalen Brotsorten groß aufgetischt wird. Für die Pause, ins Büro oder als Reiseproviant werden bunt belegte Klappstullen mitgenommen. Und auch abends pflegt das Land die Liebe zur guten Schnitte, beim Abendbrot wird herzhaft warm-kalt aufgetischt, im Zentrum der Mahlzeit: gute Backwaren. Ob bayerische Brezeln, schwäbische Seelen, westfälisches Pumpernickel oder Gersterbrot aus Hannover und Bremen, das Angebot an traditionellen Backwaren ist groß. Über 3000 anerkannte Brotspezialitäten zählt der Zentralverband des Deutschen Bäckerhandwerks auf seiner Onlineseite brotkultur.de – eine Genusskultur, die für die Aufnahme in die UNESCO-Liste des immateriellen Weltkulturerbes vorgeschlagen ist.

Dem Gegenüber steht die Scheinvielfalt industriell gefertigter Brötchen und Brote, die im maschinellen Schnellverfahren aus Fertig- und Vormischungen gebacken werden und überwiegend in System-Backshops und Supermärkten verkauft werden – eine große Konkurrenz für den traditionellen Bäcker. Dem ist nur mit Qualität zu begegnen, und die gute Nachricht ist: Die Deutschen haben wieder Appetit auf Brot, überall freuen sich handwerklich arbeitende Bäcker über den neuen Zulauf qualitätsbewusster Brotgenießer.

»Die Unterschiede sind groß«, weiß Bäckermeister Timm: »Das geht beim guten Mehl los, und man schmeckt das, wenn die Hefe Zeit hatte, richtig schön reinzupupsen in den Teig.« Und beim Kneten in Handarbeit bleibt die Luft dann auch im Teig.

Handwerklich gefertigtes Brot schmeckt nach mehr und hält sich wesentlich länger frisch. Das lohnt in jeder Hinsicht. Wer sich ein bisschen umsieht und sucht, findet schnell »seinen« Bäcker in der Region und kommt auf den Geschmack von wirklich gutem Brot.

KRÄUTERBUTTER

Zutaten (für 200 g)
200 g weiche Butter | 5 Stiele Estragon | 2 Zweige Thymian
1/2 Bund Schnittlauch | Salz | Pfeffer | 1 TL abgeriebene Bio-Zitronenschale

Butter mit den Quirlen des Handrührers cremig weiß rühren. Estragon- und Thymianblätter abzupfen und fein hacken. Schnittlauch in sehr feine Röllchen schneiden. Kräuter unter die Butter rühren. Butter mit Salz, Pfeffer und Zitronenschale abschmecken. Anschließend in Klarsichtfolie zu einer dicken Rolle formen und im Kühlschrank mindestens 1 Stunde kalt stellen.

Zubereitungszeit: 5 Minuten (plus Kühlzeit)

OLIVENÖLBUTTER

Zutaten (für 200 g)
125 g weiche Butter | 1 kleine Knoblauchzehe | 75 ml kaltgepresstes Olivenöl | Fleur de Sel

Butter und Knoblauch in einen Messbecher geben und mit dem Pürierstab cremig weiß pürieren. Olivenöl nach und nach untermixen. Mit Fleur de Sel würzen, in eine Schale geben, mit Klarsichtfolie bedecken und im Kühlschrank mindestens 1 Stunde kalt stellen.

Zubereitungszeit: 5 Minuten (plus Kühlzeit)

PFEFFERBUTTER

Zutaten (für 200 g)
200 g weiche Butter | 1 EL schwarze Pfefferkörner | 1 EL Koriandersaat | Salz

Butter mit den Quirlen des Handrührgerätes cremig weiß rühren. Pfeffer und Koriander in einer kleinen Pfanne rösten. Abkühlen lassen, im Mörser grob mahlen und unter die Butter rühren. Mit Salz abschmecken, in eine Schale geben und mit Klarsichtfolie bedeckt im Kühlschrank mindestens 1 Stunde kalt stellen.

Zubereitungszeit: 5 Minuten (plus Kühlzeit)

SAUERFLEISCH MIT TATARSAUCE

Zutaten (für 6 Personen)
Für das Sauerfleisch:
1 Bund Suppengrün
400 g Schweinenacken
400 g Schweinebauch (ohne Schwarte u. Knorpel)
1 Zweig Liebstöckel
4 Lorbeerblätter
1 TL Pimentkörner
1 TL Wacholderbeeren
Salz
9 Blatt Gelatine
1 Möhre
1 TL Senfsaat
100 g Perlzwiebeln (aus dem Glas)
1 EL Zucker
1 Zweig Estragon
8 EL Apfelessig (wahlweise Obst- oder Weißweinessig)

Für die Tatarsauce:
1 Ei (M)
1 TL scharfer Senf
120 ml Rapsöl
50 g Joghurt
1 Zwiebel
1 kleiner Apfel
1 EL Zitronensaft
1 hartgekochtes Ei
1 dicke Gewürzgurke
1 TL Kapern
4 Zweige Dill
Salz
Pfeffer
Zucker

1. Für das Sauerfleisch das Suppengrün putzen, schälen und grob würfeln. Schweinenacken und -bauchfleisch in 3 bis 4 cm große Würfel schneiden. Alles in einem großen Topf mit 2 l Wasser, Liebstöckel, Lorbeerblättern, Pimentkörnern, Wacholderbeeren und 1 TL Salz aufkochen. 10 Minuten offen kochen, dann den entstandenen Schaum mit einer Schaumkelle abschöpfen. Weitere 75 Minuten bei mittlerer Hitze leise köchelnd garen.
2. Währenddessen Gelatine in kaltem Wasser einweichen. Die Möhre schälen und in dünne Scheiben schneiden. Das gegarte Fleisch mit einer Fleischgabel herausnehmen und in 2 Gläser (à 500 ml) mit Deckel füllen.
3. Den Kochfond durch ein Sieb mit Tuch passieren und 700 ml abmessen. Den abgemessenen Kochfond mit Senfsaat, Möhrenscheiben, Perlzwiebeln und Zucker aufkochen. 2 Minuten kochen lassen. Estragonblätter abzupfen und mit der Gelatine zugeben, dabei die Gelatine unter Rühren auflösen. Fond mit Apfelessig und Salz kräftig würzen und über das Fleisch verteilen. Gläser abkühlen lassen, dann verschließen und im Kühlschrank mehrere Stunden, am besten über Nacht, gelieren lassen.
4. Für die Tatarsauce Ei und Senf mit dem Pürierstab pürieren, das Öl in dünnem Strahl zugeben, dann mit Joghurt verrühren. Kalt stellen.
5. Zwiebel pellen und fein würfeln. Apfel ungeschält fein würfeln und mit Zitronensaft marinieren. Das gekochte Ei pellen und fein hacken, die Gurke klein würfeln. Kapern grob hacken, Dill fein schneiden. Alles mit der Grundsauce verrühren und mit Salz, Pfeffer und einer Prise Zucker würzen. Zum Sauerfleisch servieren.

Zubereitungszeit: 2 Stunden (plus Kühl- und Gelierzeit über Nacht)

Zum Sauerfleisch mit Tatarsauce passen am besten Bratkartoffeln (siehe S. 253).

WURSTSALAT

Zutaten (für 4–6 Personen)

2–3 EL Kräuteressig (wahlweise Weißweinessig)
1 EL grober Senf
1 TL scharfer Senf
2 EL Gewürzgurkenwasser
5 EL Sonnenblumenöl
Zucker
Salz
Pfeffer
600 g gemischte Wurst (z. B. Krakauer, Wiener, Weißwurst und Regensburger)
100 g weißer Rettich
6 Radieschen
1 rote Zwiebel
1/2 Bund Schnittlauch

1. **Aus Essig, Senf, Gewürzgurkenwasser und 4 EL Sonnenblumenöl eine Vinaigrette rühren. Mit einer Prise Zucker, Salz und Pfeffer würzen.**
2. **Die Krakauer vierteln und längs halbieren. Wiener und gepellte Weißwurst in Scheiben schneiden. Die Würste in einer Pfanne in 1 EL heißem Öl goldbraun braten.**
3. **Regensburger in dünne Scheiben schneiden. Den Rettich schälen und in feine Scheiben hobeln, Radieschen waschen und ebenfalls in feine Scheiben hobeln. Zwiebel pellen und in schmale Ringe hobeln, Schnittlauch in Röllchen schneiden.**
4. **Alles mit der Wurst in eine Schüssel geben und mit der Vinaigrette vermengen. Eventuell mit Salz und Pfeffer nachwürzen. Lauwarm oder kalt zu geröstetem Bauernbrot servieren.**

Zubereitungszeit: 25 Minuten

WURSTSALAT AUF SAUERTEIG-RÖSTBROT MIT FELDSALAT UND FRISCHER BIRNE:

Eine Handvoll Feldsalat in lauwarmem Wasser gründlich waschen, putzen und trocken schleudern. 5 Scheiben Sauerteigbrot auf nur einer Seite dünn mit Öl bestreichen und in einer (Grill-)Pfanne auf der geölten Seite rösten. Die Brotscheiben in breite Streifen schneiden und mit Feldsalat und Wurstsalat belegen. Kurz vor dem Servieren 1/2 Birne grob raspeln und auf den Stullen verteilen.

ENTENKONFIT

Zutaten
(für 4–6 Personen)
1 kg Enten- oder
Gänseschmalz
1 TL Wacholderbeeren
1 Zimtstange
2 TL Piment
2 Anissterne
5 Lorbeerblätter
10 g Salz
1 kleine Bio-Saftorange
4 Entenkeulen

1. Den Backofen auf 120 Grad vorheizen.
2. Das Schmalz mit Wacholderbeeren, Zimtstange, Piment, Anis, Lorbeerblättern und Salz in einen ofenfesten Bräter geben. Die Schale der Orange mit einem Sparschäler dünn abschälen und dazugeben. Alles langsam auf dem Herd erhitzen.
3. Die Entenkeulen ins flüssige Schmalz gleiten lassen. Mit einem Bogen Backpapier bedecken und im vorgeheizten Ofen auf der zweiten Stufe von unten rund 4 Stunden garen.
4. Herausnehmen und handwarm abkühlen lassen. Das Fett durch ein Sieb passieren. Das Fleisch von den Keulen zupfen, klein schneiden und in ein Glas (oder zwei kleine Gläser) füllen.
5. Mit dem Fett auffüllen und bedecken. Erkalten lassen und mit Deckeln verschließen. Im Kühlschrank über Nacht durchziehen und komplett durchkühlen lassen.

Zubereitungszeit: 4 Stunden 30 Minuten (davon 4 Stunden Garzeit; plus Kühlzeit über Nacht)

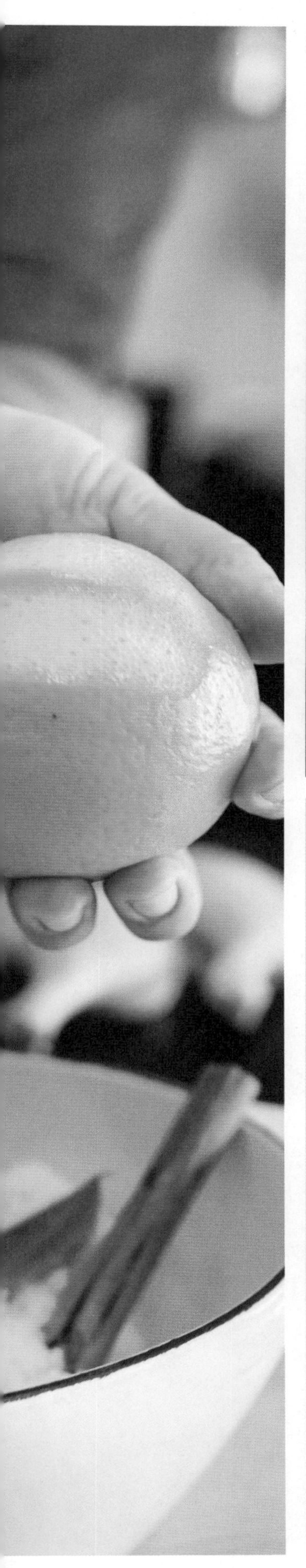

DÖNER
Coffee to go
1€
Fortuna
WARRIOR
27
HAMBURG
MEINE PERLE

AUMUND
Traglast 2x40t

ROASTBEEF MIT REMOULADE

Zutaten (für 6 Personen)
Für das Roastbeef:
1,5 kg Roastbeef
Salz
4 EL Olivenöl

Für die Remoulade:
5 Eier (M)
Salz
1 TL scharfer Senf
120 ml Rapsöl
50 g Joghurt
1 rote Zwiebel
2 Gewürzgurken
1/2 Bund Dill
1/2 Bund Petersilie
Pfeffer
Kräuteressig (wahlweise Weißweinessig)
Zucker

1. Für das Roastbeef den Backofen auf 150 Grad vorheizen.
2. Die Fettseite vom Roastbeef kreuzförmig einschneiden, das Fleisch salzen und in einer ofenfesten Pfanne im heißen Öl rundherum anbraten. Mit der Pfanne in den Ofen schieben und auf der mittleren Schiene rund 35 Minuten medium garen (siehe unten), dabei zweimal wenden. Das Fleisch danach 10 Minuten mit Alufolie bedeckt ruhen lassen, dabei zweimal wenden.
3. Für die Remouladensauce 4 Eier in Salzwasser 10 bis 12 Minuten kochen. 1 Ei mit Senf im Mixbecher mit dem Pürierstab pürieren, das Öl in dünnem Strahl zugeben, dann mit Joghurt verrühren.
4. Die Eier abgießen und in kaltem Wasser abkühlen lassen. Die Zwiebel pellen und klein würfeln, Gurken fein schneiden, Dill und Petersilie fein hacken und alles unter die Remoulade rühren.
5. Die Eier pellen, fein würfeln und ebenfalls zugeben. Mit Salz, Pfeffer, einem Spritzer Essig und einer Prise Zucker würzen und zum Roastbeef servieren.

Zubereitungszeit: 50 Minuten

Mit einem Kerntemperaturmesser haben Sie das Roastbeef bestens im Griff. Die Nadel des Thermometers dafür seitlich bis zur Mitte ins angebratene Fleisch stechen. Ist eine Kerntemperatur von 58 bis 60 Grad erreicht, ist das Roastbeef medium gegart. Das Fleisch können Sie warm oder kalt servieren. Warm aufgeschnitten dürfen die Scheiben ruhig etwas dicker sein, kalt aufgeschnitten, am besten mit der Aufschnittmaschine, etwas dünner. Meine Empfehlung dazu: Bratkartoffeln (siehe S. 253).

BRATKARTOFFELN

Zutaten (für 4 Personen)
800 g mittelgroße, festkochende Kartoffeln
Salz
150 g Zwiebeln
5 EL Sonnenblumenöl
20 g Butter
Pfeffer

1. Die Kartoffeln am besten schon am Vortag waschen und je nach Größe 20 bis 30 Minuten ungeschält in Salzwasser garen, abgießen und auskühlen lassen.
2. Die kalten Kartoffeln pellen und in Scheiben schneiden. Zwiebeln pellen, in Streifen schneiden und in einer großen beschichteten Pfanne in 2 EL Öl in 8 bis 10 Minuten goldbraun braten. Salzen und herausnehmen.
3. 3 EL Öl in die heiße Pfanne geben und die Kartoffelscheiben darin 3 bis 4 Minuten goldbraun anbraten. Dann erst wenden, Butter zufügen und weitere 6 bis 8 Minuten bei milder Hitze braten. Mit Salz und Pfeffer würzen und zuletzt die Zwiebeln untermengen.

Zubereitungszeit: 25 Minuten (plus 30 Minuten Garzeit für die Kartoffeln am Vortag)

ckerei
Lecker, lecker
Frische
Schmalz-
kuchen
Mmhh!
Schmalzkuchen
Kaffee crema
Cappuccino
Espresso
Latte Macchiato
Milchkaffee
Kakao
Lassos

Süßes

VERSUNKENER APRIKOSENKUCHEN

Zutaten (für 12 Stücke)
750 g Aprikosen
120 g weiche Butter
140 g Mehl (Type 405)
1 TL Backpulver
90 g Zucker
Salz
2 Eier (M)
3 EL Milch
2 EL Amaretto (ersatzweise Milch)

1. Den Backofen auf 180 Grad vorheizen.
2. Aprikosen halbieren und entsteinen. Eine ofenfeste Form (24 cm ø, z. B. eine emaillierte Eisenpfanne) mit 20 g Butter einfetten. Mehl und Backpulver mischen.
3. 100 g Butter, Zucker und eine Prise Salz mit den Quirlen des Handrührgerätes 5 Minuten schaumig schlagen. Eier nacheinander zugeben und jeweils 30 Sekunden unterrühren. Mehlmischung, Milch und Amaretto abwechselnd bei kleinster Stufe unterrühren.
4. Den Teig in die gefettete Form füllen und mit den Aprikosen belegen. Im heißen Ofen auf einem Rost auf der mittleren Schiene 40 bis 45 Minuten backen. Lauwarm servieren.

Zubereitungszeit: 1 Stunde 15 Minuten (plus Abkühlzeit)

Dazu passt die Vanillesauce von Seite 285 hervorragend!

ZWETSCHGENDATSCHI

Zutaten (für 20 Stücke)
30 g frische Hefe
200 ml lauwarme Milch
200 g Mehl (Type 550)
200 g Dinkelvollkornmehl
90 g Zucker
Salz
1 Ei (M)
50 g weiche Butter
1,5 kg Zwetschgen
50 g Semmelbrösel
1/2 TL gemahlener Zimt
120 g Quittengelee

1. Hefe zerbröseln und mit der Milch verrühren. Mehl, Dinkelmehl, 60 g Zucker und eine Prise Salz mischen. Alles zusammen mit dem Ei und der Butter in eine Schüssel geben und mit den Knethaken des Handrührgerätes 5 Minuten zu einem Teig verarbeiten. Abgedeckt an einem warmen Ort 45 Minuten gehen lassen.
2. Zwetschgen entsteinen. Semmelbrösel sieben. 30 g Zucker und Zimtpulver mischen.
3. Den Teig mit einem Spatel auf einem mit Backpapier belegten Backblech (40 x 30 cm) verteilen und mit bemehlten Händen gleichmäßig darauf bis in die Ecken drücken. Mit den Semmelbröseln bestreuen und mit den Zwetschgen dicht an dicht belegen. Weitere 20 Minuten gehen lassen.
4. Den Backofen auf 200 Grad (Umluft 180 Grad) vorheizen.
5. Die Zwetschgen mit dem Zimtzucker bestreuen und den Kuchen im heißen Ofen auf der mittleren Schiene 40 bis 45 Minuten backen. Danach vollständig abkühlen lassen.
6. Quittengelee mit 5 EL Wasser aufkochen und bei mittlerer Hitze köcheln lassen, bis es sich aufgelöst hat. Mit einem Pinsel über die Zwetschgen streichen.

Zubereitungszeit: 1 Stunde (plus Geh- und Kühlzeit)

STREUSEL 1 200 g Mehl, 80 g Zucker, 1 Pck. Vanillezucker und 1 Prise Salz mischen. 2 100 g kalte Butter in kleinen Stücken zugeben. 1 EL kaltes Wasser zugeben und alles erst mit den Knethaken des Handrührgerätes, dann mit den Händen zu Streuseln verarbeiten. Mindestens 20 Minuten kalt stellen. 3 Ofen auf 180 Grad (Umluft 160 Grad) vorheizen. Streusel auf einem mit Backpapier belegten Backblech verteilen und im heißen Ofen auf der mittleren Schiene 10 bis 15 Minuten goldgelb backen. 4 Streusel zum Zwetschgendatschi mit Schlagsahne servieren oder die rohen Streusel auf dem Kuchen mitbacken.

Tanz ist in der kleinsten Hütte. Denn die Deutschen sind viel weniger steif, als behauptet wird: vom ersten Teenager-Stehblues im Partykeller bis zur Ü-40-Party und dem Tanztee für die reiferen Jahrgänge – überall wird, im Rahmen der eigenen Möglichkeiten, geschwoft, gesteppt, gezerrt und geschoben. Damenwahl in 5 Minuten!

Trink
Coca-Cola
Coke
Disco
Tenne

SEIT ZEHN JAHREN
MEINE BACKLEHR-
MEISTERIN: HEIDI!

APFELSTRUDEL

Zutaten
(für 6–8 Personen)
200 g Mehl (Type 405)
Salz
4 EL Öl
1 kg Äpfel
2 EL Zitronensaft
1/2 TL gemahlener Zimt
80 g Zucker
50 g Butter
Mehl für die Arbeitsfläche
1 EL Puderzucker

1. Das Mehl, eine Prise Salz, 3 EL Öl und 100 ml lauwarmes Wasser erst mit den Knethaken des Handrührgerätes, dann mit den Händen zu einem glatten Teig verarbeiten. Den Teig mit 1 EL Öl einreiben. In einem kleinen Topf etwas Wasser aufkochen, Topf ausleeren und noch warm über den Teig stülpen. 30 Minuten ruhen lassen.
2. Inzwischen die Äpfel schälen, vierteln, entkernen und in dünne Scheiben schneiden. In einer Schüssel mit dem Zitronensaft vermengen. Zimt und Zucker mischen.
3. Den Backofen auf 180 Grad (Umluft 160 Grad) vorheizen.
4. Butter in einem Topf zerlassen. Teig auf einem sauberen, leicht bemehlten Geschirrtuch mit dem Nudelholz so dünn wie möglich rechteckig ausrollen. Dann mit den Händen ausziehen, bis man das Muster des Tuches durchscheinen sieht.
5. Zimtzucker unter die Äpfel mischen. Äpfel auf dem Teig verteilen, dabei einen etwa 7 cm breiten Rand lassen. Den belegten Teig mithilfe des Tuches zu einem Strudel aufrollen, die Enden unterschlagen. Strudel auf ein mit Backpapier belegtes Blech setzen und vorsichtig mit der flüssigen Butter bepinseln. Im heißen Ofen auf der mittleren Schiene 45 Minuten backen, dabei gelegentlich mit Butter bepinseln.
6. Nach dem Backen mit Puderzucker bestreuen und lauwarm servieren. Dazu passt Vanilleeis.

Zubereitungszeit: 1 Stunde 30 Minuten (plus Ruhezeit)

MARZIPAN-FRANZBRÖTCHEN

Zutaten (für 10 Stück)
25 g frische Hefe
200 ml lauwarme Milch
500 g Mehl (Type 405)
250 g weiche Butter
1 Ei (M)
180 g Zucker
Salz
100 g Marzipanrohmasse
1 1/2 EL gemahlener Zimt
Mehl für die Arbeitsfläche

1. Hefe in die Milch bröseln und unter Rühren auflösen. Zusammen mit dem Mehl, 75 g Butter, dem Ei, 75 g Zucker und einer Prise Salz in eine Schüssel geben. Mit den Knethaken des Handrührgerätes zu einem glatten Teig verarbeiten. Abgedeckt 1 Stunde an einem warmen Ort gehen lassen.
2. 175 g weiche Butter, 75 g Zucker, Marzipanrohmasse und Zimt mit den Quirlen des Handrührgerätes cremig rühren.
3. Den Hefeteig auf einer bemehlten Arbeitsfläche mit dem Rollholz ca. 45 x 45 cm ausrollen. Gleichmäßig mit der Marzipan-Zimt-Masse bestreichen. Den Teig so eng wie möglich aufrollen. Anfang und Ende der Rolle dünn abschneiden und begradigen. Rolle in etwa 4 cm breite Scheiben schneiden und jeweils mit einem leicht bemehlten Kochlöffelstiel in der Mitte fest eindrücken.
4. Die Franzbrötchen auf zwei mit Backpapier belegte Bleche setzen und mit Küchentüchern bedeckt 30 Minuten gehen lassen.
5. Den Backofen auf 190 Grad (Umluft 170 Grad) vorheizen.
6. Franzbrötchen mit 30 g Zucker bestreuen und im heißen Ofen nacheinander auf der mittleren Schiene in 20 bis 25 Minuten goldbraun backen. Am besten noch lauwarm servieren.

Zubereitungszeit: 1 Stunde 15 Minuten (plus Gehzeiten)

ERDBEERMARMELADE

Zutaten (für 1 l)

1,2 kg kleinere, reife Erdbeeren | 4 EL Zucker | 1 Zitrone
400 g Gelierzucker (1:1) | 1 Vanilleschote

1 Die Erdbeeren waschen, putzen und gleichmäßig auf zwei Schüsseln verteilen. Die Erdbeeren in der ersten Schüssel mit dem Zucker mischen und beiseitestellen. 2 Die Zitrone auspressen. Die Erdbeeren aus der zweiten Schüssel im Mixer pürieren und mit dem Saft der Zitrone und dem Gelierzucker in einem Topf verrühren. 3 Vanilleschote längs halbieren und unterrühren. Marmelade unter Rühren aufkochen. Nun alle Früchte zugeben und 2 Minuten kochen. 4 Vanilleschote entfernen. Marmelade in zwei heiß gespülte Twist-Off-Gläser (0,5 l) füllen und die Deckel aufschrauben. Die Gläser umgedreht abkühlen lassen.

Zubereitungszeit: 20 Minuten (plus Kühlzeit)

NUSS-NOUGAT-CREME

Zutaten (für 400 g)
100 g dunkle Kuvertüre | 1/2 Vanilleschote
150 g Haselnuss-Nougat | 50 g Butter
100 g Schlagsahne | grobes Meersalz

1 Kuvertüre grob hacken. Vanilleschote längs einritzen und das Mark herauskratzen. 2 Vanillemark zusammen mit Kuvertüre, Nougat und Butter in eine Metallschüssel geben und über einem heißen Wasserbad unter Rühren schmelzen. 3 Die Schüssel vom Wasserbad nehmen. Sahne unterrühren und die Creme mit einer Prise Salz würzen. In verschließbare Gläser füllen und im Kühlschrank aufbewahren.

Zubereitungszeit: 15 Minuten (plus Kühlzeit)

HEFEZOPF

Zutaten (für 1 Hefezopf, 15 Scheiben)
1 Ei (M)
30 g frische Hefe
250 ml lauwarme Milch
500 g Mehl (Type 550)
60 g Zucker
1 gestrichener TL Salz
80 g weiche Butter
30 g Mandelblättchen
Mehl für die Arbeitsfläche

1. Das Ei verquirlen, 1 EL davon beiseitestellen. Hefe zerbröseln und mit der Milch verrühren. Mehl, Zucker und Salz mischen. Hefemilch und restliches Ei zufügen und alles mit den Knethaken des Handrührgerätes vermengen. Butter dazugeben und etwa 3 Minuten unterrühren, bis ein glatter Teig entsteht. Abgedeckt an einem warmen Ort 1 Stunde gehen lassen.
2. Teig auf eine leicht bemehlte Arbeitsfläche geben und mit den Händen kurz durchkneten, dann dritteln und zu glatten Kugeln formen. 3 Stränge von je rund 40 cm Länge formen. Die Stränge locker zu einem Zopf flechten und diagonal auf ein mit Backpapier belegtes Backblech legen. Abgedeckt weitere 45 Minuten gehen lassen.
3. Backofen auf 180 Grad (Umluft 160 Grad) vorheizen.
4. Den Zopf mit dem restlichen Ei bepinseln und mit Mandelblättchen bestreuen. Im heißen Ofen auf der mittleren Schiene 30 Minuten goldbraun backen. Auf dem Backblech vollständig abkühlen lassen.

Zubereitungszeit: 1 Stunde (plus Geh- und Kühlzeit)

EIERLIKÖR-KÄSEKUCHEN

Zutaten (für 12 Stücke)
5 Eier (M)
250 g Mehl
50 g Puderzucker
Salz
100 g kalte Butter in kleinen Stücken plus 1 EL weiche Butter für die Form
150 g Zucker
1 Vanilleschote
1 kg Magerquark
200 g Schlagsahne
250 ml Eierlikör
Mehl für die Arbeitsfläche

1. 1 Ei trennen. 150 g Mehl, Puderzucker und 1 Prise Salz mischen. 100 g kalte Butter und Eigelb zugeben. Erst mit den Knethaken des Handrührgerätes, dann mit den Händen zu einem glatten Mürbeteig verarbeiten. Teig zu einer Kugel formen, in einen Gefrierbeutel geben und flach drücken. 30 Minuten kalt stellen.
2. Inzwischen Zucker und 100 g Mehl mischen. Vanilleschote längs aufschneiden und das Mark herauskratzen. Magerquark, Schlagsahne, 4 Eier, Vanillemark und 150 ml Eierlikör mit einem Schneebesen verrühren. Mehlmischung nach und nach unterrühren.
3. Den Backofen auf 180 Grad (Umluft 160 Grad) vorheizen.
4. Eine Springform (26 cm ø) mit 1 EL weicher Butter fetten. Mürbeteig auf einer leicht bemehlten Arbeitsfläche rund ausrollen (ca. 28 cm ø), in die Springform setzen und dabei den Rand leicht andrücken. Im heißen Ofen auf einem Rost im unteren Ofendrittel 15 Minuten vorbacken. Nach dem Backen sofort dünn mit etwas Eiweiß bepinseln.
5. Restliches Eiweiß unter die Quarkmasse rühren. Quarkmasse in die Springform geben. Mit übrigem Eierlikör beträufeln und 1 Stunde backen. Im ausgeschalteten Ofen bei leicht geöffneter Tür auskühlen lassen.

Zubereitungszeit: 1 Stunde 35 Minuten (plus Kühlzeit)

HIMBEER-KÄSEKUCHEN Für alle, die keinen Eierlikör mögen: Aus diesem Rezept lässt sich ganz leicht ein Himbeer-Käsekuchen herstellen. Dafür Eierlikör durch 150 g saure Sahne ersetzen und anstelle des Eierlikör-Toppings 250 g Himbeeren vor dem Backen auf der Quarkmasse verteilen.

Haferflocken
Kartoffelmehl
Reis
Mehl
Nudeln
Zucker
Kein Winterdienst!

DE 01 206
77 968

ERDBEERKUCHEN

Zutaten (für 10 Stücke)

30 g Butter
120 g Mehl (Type 405)
30 g Speisestärke
5 Eier (M)
Salz
125 g Zucker plus 1 EL für den Tortenguss
1 kg Erdbeeren
6 EL Erdbeerkonfitüre
1 EL Tortengusspulver
2 EL Zitronensaft
100 g Haselnussblättchen

1. Den Backofen auf 175 Grad (Umluft 160 Grad) vorheizen.
2. Butter schmelzen und auf Raumtemperatur abkühlen lassen. Einen Springformboden (26 cm ø) mit Backpapier bespannen. Mehl und Speisestärke mischen. Die Eier trennen.
3. Eiweiß und eine Prise Salz mit den Quirlen des Handrührgerätes steif schlagen. 125 g Zucker nach und nach unter Rühren einrieseln lassen, 30 Sekunden weiterrühren. Eigelbe mit dem Schneebesen unterheben. Die Mehlmischung in 3 Portionen auf die Eimasse sieben und vorsichtig unterheben. Butter zügig dazugeben. Die Masse in die Springform füllen und sofort im heißen Ofen auf einem Rost im unteren Ofendrittel 35 Minuten backen. Anschließend auf einem Gitter in der Form vollständig abkühlen lassen.
4. Erdbeeren waschen, putzen und gut abtropfen lassen. Biskuit aus der Form lösen und die Oberfläche etwa 3 mm dünn abschneiden, damit sie schön eben ist. 4 EL Erdbeerkonfitüre auf den Boden geben und mit einem Löffelrücken gleichmäßig verstreichen. Erdbeeren dicht an dicht daraufsetzen.
5. Tortengusspulver mit 1 EL Zucker, Zitronensaft und 150 ml kaltem Wasser in einem Topf verrühren. Unter Rühren zum Kochen bringen, dann 1 bis 2 Minuten abkühlen lassen. Mit einem Esslöffel über den Erdbeeren verteilen. Den Rand des Kuchens mit 2 EL Erdbeerkonfitüre bestreichen und mit den Haselnussblättchen verzieren.

Zubereitungszeit: 1 Stunde 40 Minuten (plus Kühlzeit)

DEUTSCHER WEIN – GESCHICHTE MIT HAPPY END UND ZUKUNFT

Deutsche Weine sind gefragter denn je. Das Fußball-Sommermärchen der WM 2006 und die Anerkennung für deutsche Gewächse kamen fast zeitgleich.

Die Ersten, die den Wert unserer Weine erkannten, kamen aus dem Ausland, insbesondere Gastronomen, Sommeliers und Weinjournalisten aus den USA. Sie mochten die kühle Frische, das »Cool Climate« und die feine Frucht der Trauben, insbesondere die des Rieslings.

DIE WEINE DER NEUEN WINZERGENERATION SCHMECKEN MEHR NACH HEIMAT ALS JE ZUVOR.

Mit dieser deutschen Sorte kam der Durchbruch. Der nach Zitrusfrüchten und Äpfeln duftende Riesling ist ein eigenständiges Gewächs unserer Heimat. Die Traube reift spät und hat einen unverwechselbaren Geschmack. Kaum eine andere Rebsorte trägt den Stempel ihrer Herkunft so klar in sich wie der Riesling, den Experten für eine der besten Weißweinsorten der Welt halten.

Den größten Anteil am Erfolg haben unsere Winzer selbst. Dazu muss man zurück in die fetten 60er und 70er Jahre gehen. Die Nachkriegsgeneration hatte nach entbehrungsreichen Jahren verständlicherweise mehr Interesse an: viel, billig und süß. In Folge waren viele Weine weit entfernt von der Qualität, die sie hätten erreichen können. Erst in den 80er Jahren tauchten die ersten Pioniere auf, eine neue Generation, die mit dem Vermächtnis ihrer Vorfahren nichts anfangen wollte und konnte. Sie waren Rebellen und sind heute gefeierte Stars der Weinszene: Werner Meyer-Näkel von der Ahr, Bernhard Huber aus Baden oder Bernhard Breuer aus dem Rheingau, um nur ein paar zu nennen – Individualisten, die den Weg für eine neue Winzergeneration bereiteten und um die Anerkennung ihrer Ideen kämpften. Mittlerweile haben ihre Kinder das Ruder übernommen und segeln volle Kraft voraus.

Wo liegt der Unterschied zwischen diesen Generationen? Der Boden war bereits bestellt, doch die Ausbaumethoden wurden weiter verfeinert. Viele junge Winzer haben eine internationale Ausbildung, konnten in Südafrika, Frankreich, Italien oder Neuseeland ihr Wissen erweitern. Die bessere Qualität ist überall zu finden, die spannendsten Entwicklungen der letzten Jahre haben dabei die einstigen »Nobodys« oder als antiquiert geltenden Regionen gemacht.

Schön zu sehen ist auch, wie immer mehr junge Winzer den Sprung in die Selbstständigkeit wagen, sich selbst vermarkten, reisen, um ihre Weine vorzustellen, statt ihre Trauben zu örtlichen Genossenschaft zu fahren.

Die Weine der neuen Winzergeneration schmecken mehr nach Heimat als je zuvor und passen

ganz besonders gut zur vielfältigen deutschen Küche. In vielen Regionen ist der Wein zum Essen und das Traditionsgericht zum Wein entstanden. So eine Harmonie wird nicht über Nacht geboren, sie ist das Ergebnis einer langen und gewollten Entwicklung.

Heimat ist ein Gefühl, ein Verlangen, und bedeutet die Besinnung auf die eigene Identität und ihrer Wurzeln. Heimat heißt nicht Stillstand, es ist die Aufforderung sich weiter zu entwickeln. So entsteht etwas ganz Eigenständiges und Besonderes.

RHEINHESSEN

Die größte Weinregion Deutschlands galt lange als Aschenputtel. Heute werden hier einige der besten trockenen Rieslinge und Sylvaner abgefüllt.

NAHE

Ein kleines Gebiet, das es dank der alten und neuen Generation in sich hat. Bis 1971 gab es diese Region offiziell gar nicht. Das Klima ist etwas kühler, und vor allem die Weißweine sind frisch, saftig und fein. Allen voran machen Riesling und Weißburgunder am meisten Spaß.

MOSEL

Insbesondere die jungen Winzer haben Schwung in diese Region gebracht. Ganz selbstbewusst keltern sie klassische, mineralische Rieslinge mit Restsüße ab. Die einstigen »Schädelspalter« sind heute delikate Weine mit selbstbewusster Süße. Die alteingesessenen Winzer haben nachgezogen und füllen unnachahmlich fruchtsüße Rieslinge ab.

FRANKEN

Es ist sehr erfrischend zu sehen, was aus dieser früher als altbacken geltenden Region geworden ist. Der Generationswechsel findet in vielen Betrieben gerade statt, und es sind viele junge, neue Winzer zum Kreis der etablierten dazugekommen. Besonders die klassische Rebsorte der Region, der Sylvaner, wird wieder vermehrt angepflanzt.

PFALZ

Lange war die Pfalz die berühmteste Weinregion der Nation, bekannt für ihr fast mediterranes Klima und die unterschiedlichsten Böden, ein Platz für feinste Weine. Doch bis in die 90er Jahre war die Pfalz auch bekannt für »viel und billig«. Sie war dann aber eine der ersten Regionen, in denen sich Winzer und Gastronomen gemeinsam und sehr erfolgreich um neue Spitzenqualität bemühten. Egal ob trockene Rieslinge, elegante Spätburgunder oder gehaltvolle Grauburgunder – heute geht hier viel und mehr.

Hendrik Thoma, Master Sommelier

CHRISTSTOLLEN

Zutaten (für 20 Scheiben)
40 g Orangeat
40 g Zitronat
300 g Sultaninen
3 EL Rum
70 g gehackte Mandeln
1 Würfel frische Hefe (42 g)
100 ml lauwarme Milch
1 EL Vanillezucker
500 g Mehl (Type 550)
60 g Zucker
Salz
1 Pck. Stollengewürz (ca. 10 g)
3 Tropfen Bittermandelaroma
1 TL fein abgeriebene Bio-Zitronenschale
1 Ei (M)
350 g weiche Butter
3 EL Zimt-Zucker
3 EL Puderzucker

1. Am Vortag Orangeat und Zitronat fein hacken. Mit Sultaninen, Rum und 2 EL Wasser mischen und zugedeckt über Nacht durchziehen lassen.
2. Am nächsten Tag Mandeln ohne Fett in einer Pfanne hellgelb rösten und abkühlen lassen.
3. Hefe zerbröseln und mit der Hälfte der lauwarmen Milch, Vanillezucker und 2 EL vom Mehl verrühren. Abgedeckt 15 Minuten an einem warmen Ort gehen lassen.
4. Währenddessen übriges Mehl, Zucker, eine Prise Salz, Stollengewürz, Bittermandelaroma und Zitronenschale mischen. Restliche Milch, Ei, 200 g Butter und die Hefe-Milch-Mischung dazugeben. Mit den Knethaken des Handrührgerätes mindestens 5 Minuten zu einem glatten Teig verarbeiten.
5. Mandeln und Fruchtmischung vom Vortag hinzufügen. Erst mit den Knethaken in der Schüssel, dann mit den Händen auf der Arbeitsfläche gründlich unterkneten. Abgedeckt an einem warmen Ort 1 Stunde gehen lassen.
6. Den Teig nochmals durchkneten und zu einem Laib formen. In diesen der Länge nach mittig mit dem Nudelholz eine Mulde eindrücken. Dabei das Nudelholz leicht vor und zurück rollen. Die untere Teighälfte so auf die obere legen, dass diese nicht ganz überdeckt wird. Dann mittig mit der Handkante kräftig eine Mulde eindrücken. Die seitlichen Enden spitz formen und leicht unterschlagen. Den Stollen auf ein mit Backpapier belegtes Backblech setzen und 30 Minuten gehen lassen.
7. Den Backofen auf 210 Grad vorheizen.
8. Stollen im heißen Ofen im unteren Ofendrittel 10 Minuten backen. Dann die Temperatur auf 180 Grad reduzieren und 40 Minuten weiterbacken.
9. 150 g Butter in einem Topf zerlassen. Vom heißen Stollen die dunklen, herausstehenden Sultaninen entfernen. Dann den Stollen rundum mit der Butter bepinseln und erst mit Zimtzucker, dann mit 2 EL Puderzucker bestreuen. Stollen vollständig abkühlen lassen, dann mit dem restlichen Puderzucker bestreuen.

Zubereitungszeit: 2 Stunden (plus Geh- und Kühlzeit über Nacht)

QUARKKNÖDEL MIT OFEN-RHABARBER

Zutaten (für 4 Personen)

Für den Ofen-Rhabarber:

500 g zarter Himbeer-Rhabarber (auch: Erdbeer-Rhabarber oder Rosen-Rhabarber)
4 EL Zucker

Für die Quarkknödel:

500 g Speisequark (20 % Fett)
1 Vanilleschote
1/2 Bio-Zitrone
7 EL Zucker
140 g weiche Butter
1 Eigelb (M)
2 EL Speisestärke
140 g Semmelbrösel
1 TL Salz
1–2 TL Zimtpulver

1. Für den Ofen-Rhabarber die Rhabarberstangen putzen, fein stückeln, in einer Auflaufform mit Zucker mischen und 1 Stunde marinieren. Den Backofen auf 160 Grad vorheizen. Rhabarber im heißen Ofen 30 Minuten garen.
2. Währenddessen für die Quarkknödel den Quark in einem sauberen Küchentuch portionsweise trocken ausdrücken und in eine Schüssel geben. Vanilleschote längs halbieren und das Mark herausschaben. Die Zitrone fein abreiben. Vanillemark mit Zitronenabrieb zum Quark geben und mit 4 EL Zucker, 60 g Butter und Eigelb sowie der Speisestärke und 40 g Semmelbröseln glatt rühren. 30 Minuten zugedeckt in den Kühlschrank stellen.
3. Reichlich Wasser in einem Topf mit 2 EL Zucker und Salz aufkochen. Mit angefeuchteten Händen 8 Knödel aus der Quarkknödelmasse formen und ins Kochwasser geben. Hitze reduzieren und die Knödel im siedenden Kochwasser 15 Minuten garen.
4. 80 g Butter in einer Pfanne zergehen lassen, 100 g Semmelbrösel einrühren und goldbraun rösten. 1 EL Zucker und Zimt unterrühren. Die Knödel mit einer Schaumkelle aus dem Wasser nehmen, in den Bröseln wälzen und mit dem Ofen-Rhabarber servieren.

Zubereitungszeit: 1 Stunde 30 Minuten

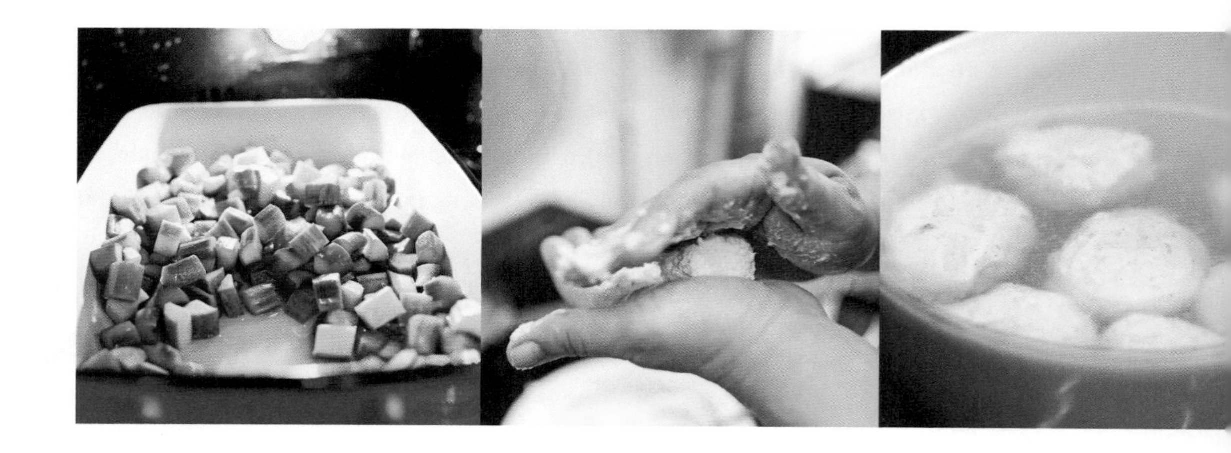

APFELKOMPOTT

Zutaten
(für 4–6 Personen)
1 Zitrone
6 Äpfel (z. B. Boskoop, Elstar)
125 ml Ahornsirup
Salz

1. Zitrone auspressen, den Saft in eine Schüssel geben. Die Äpfel schälen, entkernen und achteln, dann im Zitronensaft wenden.
2. Den Ahornsirup in einem Topf aufwallen lassen, die Äpfel mit Zitronensaft zugeben und untermengen. Mit einer winzigen Prise Salz würzen und bei milder Hitze zugedeckt 15 bis 20 Minuten schmoren.
3. Die Äpfel nach persönlichem Geschmack gröber oder fein stampfen und auskühlen lassen.

Zubereitungszeit: 30 Minuten (plus Kühlzeit)

Das Kompott passt übrigens nicht nur zu süßen Desserts wie Milchreis (siehe S. 80), sondern auch als fruchtige Komponente zu würzigen Speisen wie Schweinebraten (siehe S. 224), Tafelspitz (siehe S. 136) oder meinem Gulasch (siehe S. 56).

SCHOKOLADENPUDDING

Zutaten
(für 4 Personen)
1 Vanilleschote
100 g Blockschokolade
500 ml Milch
30 g Speisestärke
1 EL Kakaopulver
(Kochkakao)
60 g Zucker
200 g Schlagsahne

1. Vanilleschote längs halbieren und das Mark herausschaben. Blockschokolade hacken. Alles mit 400 ml Milch in einen Topf geben.
2. In einer Schüssel die Speisestärke mit Kakao, 40 g Zucker und 100 ml Milch mit einem Schneebesen verrühren, bis sich alles aufgelöst hat.
3. Milch-Schokoladen-Mischung unter Rühren zum Kochen bringen. Vanilleschote entfernen, die Kakao-Stärke-Mischung einrühren. Unter ständigem Rühren mit einem Schneebesen 30 Sekunden kräftig aufkochen lassen, dann Topf vom Herd nehmen.
4. Die Schlagsahne steif schlagen. Die Hälfte der Sahne unter die heiße Puddingmasse ziehen und in eine Schüssel füllen. Den Pudding dünn mit restlichem Zucker bestreuen (so bildet sich keine Haut). Bei Zimmertemperatur abkühlen lassen.
5. Übrige geschlagene Sahne kalt stellen und vor dem Servieren nochmals durchrühren. Dann auf den Pudding geben und servieren.

Zubereitungszeit: 20 Minuten (plus Kühlzeit)

ROTE GRÜTZE MIT VANILLESAUCE

Zutaten (für 4–6 Personen)

Für die rote Grütze:
4 EL Zucker
500 g Beerenmischung, tiefgekühlt
500 g frische Früchte

Für die Vanillesauce:
100 g Schlagsahne
1 Vanilleschote
250 ml Milch
50 g Zucker
2 Eigelb (M)
10 g Speisestärke

1. Für die rote Grütze Zucker in einem Topf schmelzen und hellgold karamellisieren lassen. Die gefrorenen Früchte zugeben und mit 50 ml Wasser aufgießen. Aufkochen und offen 8 bis 10 Minuten dicklich einkochen.
2. Die frischen Früchte putzen, waschen, gegebenenfalls mundgerecht schneiden und unterrühren. Einmal aufkochen und vom Herd nehmen.
3. Für die Vanillesauce die Sahne cremig-steif schlagen.
4. Die Vanilleschote längs halbieren und mit Milch, Zucker, den Eigelben und der Stärke unter Rühren aufkochen. 1 Minute kochen.
5. Die Sauce in eine Schüssel gießen, Schlagsahne unterheben und unter gelegentlichem Rühren abkühlen lassen. Mit der roten Grütze servieren.

Zubereitungszeit: 30 Minuten (plus 1 Stunde Kühlzeit, wenn gewünscht – Grütze und Vanillesauce können warm oder kalt serviert werden)

Bei der Wahl der Früchte entscheiden Sie einfach nach persönlichem Geschmack. Die Beeren können Sie nach Belieben zusammenstellen oder auch nur eine Sorte mit Kirschen zusammen kochen.

HONIG-NUSS-BUTTERKUCHEN

Zutaten (für 20 Stücke)
30 g frische Hefe
250 ml lauwarme Milch
500 g Mehl (Type 550)
100 g Zucker
Salz
2 Eier (M)
250 g weiche Butter
200 g gemischte Nüsse (z. B. Haselnüsse, Mandeln, Cashewkerne, Walnüsse)
100 g Honig
2 TL fein abgeriebene Bio-Zitronenschale

1 Die Hefe zerbröseln und mit der Milch verrühren. Mehl mit 80 g Zucker und einer Prise Salz mischen. Milch- und Mehlmischung mit den Eiern und 80 g weicher Butter in eine Schüssel geben und mit den Knethaken des Handrührgerätes ca. 5 Minuten zu einem Teig verarbeiten. Zugedeckt an einem warmen Ort 45 Minuten gehen lassen.

2 Inzwischen die Nüsse grob hacken. 170 g weiche Butter, 20 g Zucker, 80 g Honig und die Zitronenschale mit den Quirlen des Handrührgerätes schaumig schlagen. Buttercreme in einen Spritzbeutel füllen.

3 Den Teig mit einem Spatel auf ein mit Backpapier belegtes Backblech (40 x 30 cm) geben und mit bemehlten Händen gleichmäßig bis in die Ecken verteilen. Weitere 20 Minuten gehen lassen.

4 Den Backofen auf 200 Grad (Umluft 180 Grad) vorheizen. Mit einem Finger in gleichmäßigen Abständen Vertiefungen in den Teig drücken. Die Buttercreme aus dem Spritzbeutel in die Vertiefungen hineinspritzen. Die gehackten Nüsse über dem Teig verteilen. Im vorgeheizten Ofen im unteren Ofendrittel 20 bis 25 Minuten backen.

5 Mit 20 g Honig beträufeln und am besten lauwarm servieren.

Zubereitungszeit: 1 Stunde (plus Gehzeit)

BIENENSTICH: 1 Blech Butterkuchen | 3 Blatt weiße Gelatine | 1 Pck. Vanillepuddingpulver 80 g Zucker | 500 ml Milch | 750 g Schlagsahne | 2 Pck. Sahnefestiger

1 Gelatine in kaltem Wasser einweichen. Puddingpulver, Zucker und 200 ml Milch glatt rühren. 300 ml Milch aufkochen. Puddingmischung einrühren und unter Rühren einmal aufkochen, dann in eine Schüssel füllen. Gelatine gut ausdrücken, einzeln zugeben und unterrühren. Ein Stück Frischhaltefolie direkt auf den Pudding legen (damit sich keine Haut bildet) und vollständig abkühlen lassen. 2 Schlagsahne und Sahnefestiger verrühren und mit den Quirlen des Handrührgerätes steif schlagen. Pudding mit einem Schneebesen glatt rühren, Sahne unterheben. 3 Den Butterkuchen vierteln und die Stücke am besten mit einem Brotmesser waagerecht halbieren. Die Oberteile in portionsgerechte Stücke schneiden. Vanillecreme auf die Unterteile streichen und mit den Oberteilen belegen. Dann zwischen den Stücken vollständig durchschneiden.

ZITRONIGER GUGLHUPF

Zutaten (für 16 Stücke)
2 EL weiche Butter für die Form
275 g Mehl
75 g Speisestärke
2 TL Backpulver
250 g weiche Butter
200 g Zucker
100 g Marzipanrohmasse
Salz
2 TL fein abgeriebene Bio-Zitronenschale
5 Eier (M)
150 g Schlagsahne
3 EL Zitronensaft
2–3 EL Puderzucker

1. Den Backofen auf 175 Grad (Umluft 160 Grad) vorheizen. Eine Guglhupfform (2,5 l Inhalt) gründlich mit weicher Butter einfetten.
2. Mehl, Speisestärke und Backpulver mischen.
3. Butter, Zucker, Marzipanrohmasse, eine Prise Salz und die Zitronenschale mit den Quirlen des Handrührgerätes mindestens 8 Minuten schaumig schlagen. Eier einzeln jeweils 30 Sekunden unterrühren. Mehlmischung, Schlagsahne und Zitronensaft abwechselnd bei kleiner Stufe unterrühren.
4. Teig in die gefettete Guglhupfform füllen und auf einem Rost im unteren Ofendrittel 50 bis 60 Minuten backen.
5. Den Kuchen auf einem Kuchengitter erst 20 Minuten in der Form abkühlen lassen. Dann stürzen und vollständig abkühlen lassen. Mit Puderzucker bestreut servieren.

Zubereitungszeit: 1 Stunde 20 Minuten (plus Kühlzeit)

GRIESS-TARTELETTES

Zutaten (für 12 Stücke)
Für den Teig:
1 Ei (M)
150 g Mehl
50 g Puderzucker
Salz
100 g kalte Butter in kleinen Stücken plus 3 EL weiche Butter für die Förmchen

Für die Füllung:
400 g gemischte Früchte (z. B. Himbeeren, Heidelbeeren, Brombeeren, Aprikosen)
1 Ei (M)
Salz
50 g Zucker
1/2 Vanilleschote
60 g Butter
150 g Sahne
250 ml Milch
40 g Hartweizengrieß

1. Für den Teig das Ei trennen. Mehl und Puderzucker mit einer Prise Salz mischen. Kalte Butter und das Eigelb zugeben. Erst mit den Knethaken des Handrührgerätes, dann mit den Händen zu einem glatten Mürbeteig verarbeiten. Teig zu einem rund 15 cm langen Strang formen und in 6 gleich breite Scheiben schneiden. Die Scheiben zwischen Frischhaltefolie flach drücken und 30 Minuten kalt stellen.
2. Den Backofen auf 170 Grad (Umluft 160 Grad) vorheizen.
3. 6 Tarteletteförmchen (ca. 10 cm ø) gründlich einfetten. Die Teigscheiben auf einer leicht bemehlten Arbeitsfläche mit dem Rollholz etwa 12 cm groß ausrollen und in die Tartelettförmchen legen. Dabei den Rand vorsichtig andrücken, überstehenden Teig mit einem Messer abschneiden. Die Tartelettes auf einem Rost im heißen Ofen 15 bis 20 Minuten hellgelb vorbacken. Nach dem Backen sofort dünn mit Eiweiß bepinseln.
4. Für die Füllung Beeren verlesen, Aprikosen entsteinen und in Spalten schneiden. Das Ei trennen. Eiweiß mit einer Prise Salz steif schlagen. 25 g Zucker einrieseln lassen und 30 Sekunden weiterschlagen.
5. Vanilleschote aufschneiden und das Mark herauskratzen. Butter, Sahne, Milch und Vanillemark aufkochen. Grieß und 25 g Zucker unter Rühren einrieseln lassen, aufkochen und 30 Sekunden köcheln lassen, dann Topf vom Herd ziehen. Eigelb zügig unterrühren, Eischnee unterheben.
6. Die Grießmasse auf die Tartelettförmchen verteilen und mit den Früchten belegen. Im heißen Ofen 20 Minuten backen.

Zubereitungszeit: 1 Stunde 20 Minuten (plus Kühlzeit)

RINAH LANG
INA HOCHBACH
STEVAN PAUL
LUCAS
BUCHHOLZ
CHRISSI
VELTEN
MARION
HEIDEGGER
BERND
BRINK
CORNELIA
HANKE
MATTHIAS
HAUPT
MARCEL STUT
KATRIN
HEINATZ
GRACIELA
CUCCHIARA

DANKE

Ich möchte dieses Buch all den Menschen widmen, die dieses Land zu so einem besonderen machen. Meiner Heimat. Das sind Freunde, Familie, Kollegen, Nachbarn, Mitarbeiter, Partner, Imbissbesitzer, Streetart-Künstler, Straßenreiniger, Musiker und DJs, Barfrauen und -männer, Kindergärtner, Lehrer und so viele mehr. Ich meine hiermit all diejenigen, die mit den kleinen Dingen des Lebens, und sei es nur ein Lächeln, unseren Alltag um so vieles bereichern. Denn es sind selten die großen Dinge, die über ein »Hier bin ich zu Hause« entscheiden.

Die Inspiration für dieses Buch habe ich vor allen Dingen in der großartigen kulinarischen Vielfalt unseres Landes gefunden. Diese besteht insbesondere aus Gerichten unserer Mütter und Großmütter, kulinarischen Visionären, wie allen Landwirten, traditionellen Handwerksbetrieben und all den Köchen, die sich gemeinsam der stetig drohenden Gleichschaltung der Geschmackssinne widersetzen.

Eine noch junge, aber hoffentlich noch lange währende Tradition ist das folgende Dankwort: Denn auch an diesem Buch haben unfassbar kreative, fleißige, liebenswerte Menschen mitgewirkt. Und denen gilt mein ganz besonderer Dank! Denn ohne sie wäre dieses besondere Werk nicht möglich gewesen: Marcel, Anja, Rinah, Matthias, Chrissi, Lucas, Bernd, Frank, Stefan, Moni, Cornelia, Ina, Stevan, Hendrik, Katrin, Oliver, Elmar, Babsi.

Zur zweiten Heimat, im wahrsten Sinne des Wortes, wurde für uns während der Produktion die Kochgarage in München. Das lag insbesondere an Graciela und ihrer großartigen Kochfamilie. Danke dafür. Besonderer Dank auch an die Münchner Riege, auf deren großartige Unterstützung wir uns immer verlassen konnten. Danke an Hans Jörg, Eckart, Hans, Rudi, Sepp, Tina, Markus und Trixi vom Viktualienmarkt.

Mein letztes Dankeschön gilt Ihnen. Dieses ist nun schon mein sechstes Kochbuch, welches ohne Ihre Anregungen, Kritik und Ideen nicht in dieser Form zustande gekommen wäre.

Von Herzen Danke!

Tim

REGISTER A–Z

K

L

M

N

O

P

Q

R

S

T

W

Z

REZEPTREGISTER

SALATE

SUPPEN

FISCH

FLEISCH

WILD

INNEREIEN

GEFLÜGEL

GEMÜSE

KARTOFFELGERICHTE

DESSERTS

KUCHEN

BEILAGEN

SAUCEN UND DIPS

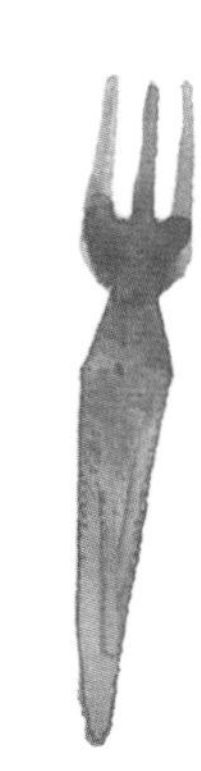

Feierabend